CW00663035

Histoires extraordinaires de Belgique

Marc Pasteger

Histoires extraordinaires de Belgique

Racine

Couverture : Véronique Lux
Mise en pages : MC Compo

Toutes reproductions ou adaptations d'un extrait quelconque de ce livre, par quelque procédé que ce soit, sont interdites pour tous pays.

© Éditions Racine, 2016
Tour et Taxis, Entrepôt royal
86C, avenue du Port, BP 104A • B - 1000 Bruxelles

D. 2016, 6852. 13
Dépôt légal : mai 2016
ISBN 978-2-87386-980-9

Imprimé aux Pays-Bas

À la mémoire de Jacques Rager
qui fut un homme libre, cultivé et, pour moi, un épatant beau-père.

M.P.

COMME DANS LES VEILLÉES D'AUTREFOIS

Autrefois, lors des veillées se tenant au coin du feu ou au sein de petites assemblées unies par la chaleur humaine, il se racontait des histoires souvent transmises oralement. Et, forcément, au fil du temps, les faits se sont trouvés édulcorés, enjolivés ou enlaidis, et les traits grossis. Moyennant quoi, il reste aujourd'hui de cette tradition des récits où, souvent, se côtoient ou se mélangent l'Histoire et la légende.

En voici une sélection dans laquelle on remarquera les préoccupations, les peurs, les obsessions, les aspirations de nos ancêtres. La religion catholique et les sentiments qu'elle véhiculait lors des siècles passés s'y montrent omniprésents. C'est que ces petites aventures nous plongent dans nos racines et disent, parfois mieux que de longues études, qui nous sommes.

Anderlecht

Guidon ramène de Jérusalem l'anneau de Wonedulphe

Il a vu le jour vers 950 à Anderlecht, un endroit qu'il n'a jamais souhaité quitter. Et pourtant, Guidon va voyager. Il grandit au sein d'une famille pauvre et modeste. Très jeune, il doit travailler et c'est dans la campagne environnante qu'il trouve de quoi gagner sa croûte. Employé par un métayer, Guidon garde les troupeaux. Durant les longues heures qu'il passe dans les pâturages, le garçon se voue à la prière et à la méditation. Et, dès qu'il en a la possibilité, il se glisse dans une église ou une chapelle où il aime prolonger ses oraisons, à moins qu'il ne serve les offices.

La pauvreté ne lui pose aucun problème. Guidon accepte sa condition dans laquelle il parvient même à s'épanouir, à s'émerveiller de la vie qu'il mène dans une famille dont il reçoit beaucoup de tendresse et d'affection. Et la compagnie des animaux lui apporte également des moments d'agrément qu'il goûte pleinement.

Cet homme équilibré aurait dû couler des heures paisibles dans le plus parfait anonymat. Plus tard, ses biographes, ou plutôt hagiographes, diront que c'était compter sans les voies impénétrables du Seigneur…

Un jour, Guidon quitte le champ qu'il doit labourer afin de porter à ses parents la ration de pain qui vient de lui être remise. À son retour, il constate stupéfait que son boulot a été achevé par… Dieu sait qui ! Un ange, affirmera-t-on…

Le fermier qui emploie Guidon trouve cette situation louche, d'autant qu'il soupçonne le gamin d'avoir fautivement déserté son lieu de travail. Afin de faire croire que son pain n'a pas bougé de son sac, Guidon y a placé une motte de terre. Mais le métayer ne veut pas se fier à une apparence et empoigne la sacoche. Lorsqu'il l'ouvre, la motte a été changée en pain !

Un peu plus tard – bien que la chronologie ne soit pas nécessairement fiable –, occupé par son attelage, Guidon plante son bâton dans le sol, s'en éloigne et suit ses bêtes. Lorsqu'il revient, il constate médusé que ce bout de bois banal s'est enraciné, qu'il a grossi, grandi et qu'il a donné naissance à des branches et des feuilles, se transformant peu à peu en un beau chêne ! On racontera jusque dans la seconde moitié du XIXe siècle qu'il se trouve encore des traces de cet arbre magique…

Il n'en faut pas davantage pour attirer sur Guidon une attention dont il se serait bien passé. Il s'éloigne des champs pour un mode de vie lui convenant mieux : sacristain à Laeken. Pourtant, sa notoriété attire les visites. Ainsi un riche commerçant lui propose-t-il une association. Guidon devra transporter des marchandises sur la Senne. Y voyant un moyen d'améliorer ses finances demeurées au plus bas, il se lance dans l'aventure. Mal lui en prend. Un jour, sur la rivière, son embarcation bascule et Guidon est à deux doigts de sombrer avec son chargement. À tort ou à raison, il y voit un signe divin et choisit de retourner à l'église de Laeken où on l'accueille à bras ouverts. Il y montre suffisamment d'humilité pour reconnaître publiquement s'être trompé.

Guidon d'Anderlecht cherche à plaire à Dieu et se convainc qu'un pèlerinage en Terre sainte serait, dans cette optique, du meilleur effet. En fait, Guidon semble certain que Dieu lui-même l'y appelle.

Le voyage se déroule sans encombre et Guidon y puise toutes sortes de satisfactions. Sur la route du retour, il s'arrête à Rome où – le monde étant petit – il croise des

Anderlechtois ! Leur doyen, Wonedulphe, emmène des pèlerins à Jérusalem. Le vieux monsieur, plus très sûr du chemin, saisit l'occasion et demande à Guidon de leur servir de guide. Celui-ci ne se sent pas le droit de refuser pareil service et organise donc une seconde expédition en direction de la Terre sainte. Mais ce second voyage se déroule beaucoup moins bien que le premier. Car, dès avant Rome ou une fois atteinte la Ville éternelle, les fidèles meurent les uns après les autres. Y compris le doyen Wonedulphe. Guidon les enterre tous.

Sur la fin de son agonie, Wonedulphe murmure à Guidon :

– Je te confie mon anneau en or. Et te charge d'aller annoncer chez nous que je m'en suis allé à jamais…

Plein de tristesse et envahi d'une grande fatigue, Guidon puise au plus profond de lui-même l'énergie nécessaire afin de revenir vers Anderlecht. Il y parvient et s'installe dans la maison du doyen où il décède un peu plus tard, sans doute le 12 septembre 1012, des suites d'une dysenterie. Il fallut cent ans à l'Église pour canoniser un personnage toujours présent aujourd'hui à Anderlecht (notamment par sa collégiale Saints-Pierre-et-Guidon, monument classé depuis 1938), commune qui, en 2012, a célébré avec faste le millénaire de sa disparition.

Anvers

Druon Antigon était fort, et fort bête

Des fouilles archéologiques ont attesté l'existence d'un établissement gallo-romain au centre de la ville d'Anvers. Ce qui ne prouve pas que Druon Antigon, lui, ait séjourné sur les bords de l'Escaut…

On raconte pourtant, et ce depuis des siècles, que, voici plus de deux mille ans, un type énorme – il devait mesurer deux mètres – s'était installé dans la région. En dehors d'une force herculéenne, il n'avait pas grand-chose pour lui. Il était dénué à la fois d'intelligence et d'humanité. On n'avait jamais su d'où il venait mais les populations avoisinantes auraient vraiment voulu qu'il s'en aille loin, très loin d'elles.

Ce bonhomme à la mine sombre et hideuse ne parlait à personne. Ce qui tombait assez bien car quiconque l'apercevait n'éprouvait qu'une envie : fuir ! Mais voilà : Druon Antigon avait l'air de se plaire aux alentours de l'Escaut. D'autant qu'il avait trouvé un moyen assez simple de gagner de l'argent. Il se postait à un endroit stratégique du fleuve et exigeait des mariniers qui y passaient la moitié de leur cargaison. S'il n'obtenait pas satisfaction, l'ignoble individu n'hésitait pas à martyriser les récalcitrants. Il en attrapa ainsi quelques-uns à qui il sectionna la main droite qu'il jeta ensuite à l'eau.

La situation devenait de plus en plus pesante. De temps à autre, un inconscient hurlait :

– Je vais lui faire la peau, à ce barbare !

Passé le stade des beaux discours qui avaient au moins le mérite de défouler les individus qui les prononçaient, tous ceux subissant la tyrannie de Druon Antigon se retrouvaient malheureux de leur impuissance.

Silvius Brabo entendait régulièrement parler des horribles méfaits de cet envahisseur et s'en offusquait. Gouverneur romain, il administrait la région allant jusqu'au sud d'Anvers. Au énième récit qu'on lui rapporta à propos de Druon Antigon, sa mâchoire se serra puis il tapa du poing sur la table et clama :

– Cette fois, j'y vais !

Ses troupes savaient à quel point Silvius Brabo courait un énorme danger. La réputation de Druon Antigon faisait frémir partout car on le jurait invincible. À ses interlocuteurs qui le lui répétaient, Silvius répliquait :

– Si personne ne s'attaque à lui, nul ne pourra jamais le vaincre !

Considéré comme un inconscient mais également comme un homme courageux et montrant un réel sens des responsabilités, Brabo établit un plan. Il savait où se terrait son futur adversaire, là où il ne pensait évidemment pas que quelqu'un viendrait lui chercher querelle.

L'effet de surprise joua en la faveur de Silvio Brabo. Mais, très vite, Druon Antigon démontra à quel point sa force était impressionnante. Seulement voilà : psychologiquement, il était atteint, désarmé. Le principal atout de Silvio Brabo, c'était son intelligence, son sens de la ruse. Lorsqu'il se cachait habilement, son ennemi était désemparé et cela se voyait. Brabo comprit que, face à un idiot, il avait de réelles chances de l'emporter. Il redoubla d'ardeur et porta des coups de plus en cruels. Au final, Silvio terrassa Druon Antigon. Sans pitié, il lui fit subir ce que trop de victimes avaient connu. Avant de l'occire, il lui trancha la main droite qu'il balança dans l'Escaut.

Brabo fut acclamé en héros. Grâce à lui, la région retrouva une vie normale et les mariniers purent à nouveau naviguer sans crainte.

À travers cet épisode, on pourrait comprendre l'origine du nom de la ville d'Antwerpen : « *hand* » (main) et « *werpen* » (jeter). À moins, comme d'autres le prétendent, qu'elle ne vienne de « *aan de werpen* » (près des digues).

Quant à Silvio Brabo, il trône sur la Grand-Place d'Anvers, mais pas depuis deux mille ans. Sa statue, réalisée par Jef Lambeaux, sculpteur natif d'Anvers, date de 1887.

Aywaille
Le panache rouge sang

Raoul de Renastienne, valeureux chevalier, n'en mène pas large. Désarçonné au cours d'une brève bataille, il aurait pu y laisser la vie si Hubert d'Amblève, passant miraculeusement par là, ne l'avait secouru et fait emmener par ses hommes en son château d'Amblève (dont il ne reste aujourd'hui, sur la commune d'Aywaille, que des ruines). Raoul y est soigné avec beaucoup de délicatesse par Mathilde, la fille d'Hubert. Au cours de sa convalescence, il a l'occasion de faire plus ample connaissance avec la jolie demoiselle. Et ne tarde pas à en tomber amoureux.

Si celle-ci ne se montre pas insensible au charme de son visiteur inattendu, elle ne souhaite pas décourager ses autres soupirants. Mathilde est plutôt convoitée et, en accord avec son père, elle désire organiser un tournoi durant lequel se mesureront les différents rivaux ; elle épousera le vainqueur.

Mathilde sait qui est chacun des participants. À une exception : un chevalier apparemment jeune qui dissimule son visage et arbore un panache rouge sang.

Les joutes commencent et mettent particulièrement en valeur Raoul de Renastienne, nettement plus fort que ses adversaires. Il ne lui en reste plus qu'un à affronter, celui dont on ignore tout. Le combat s'annonce sensiblement plus serré que les précédents car, à diverses reprises, Raoul vacille et manque de tomber de cheval. *In extremis*, il finit tout de même par inverser la tendance et l'emporte. C'est donc lui qui sera l'heureux élu de Mathilde. Celle-ci se voit alors approchée par le chevalier au panache rouge, qui lui demande une entrevue.

Sans se dévoiler davantage, il affirme :

– L'homme auquel vous allez unir votre destinée a trahi sa parole. Il était fiancé à Blanche de Montfort à laquelle il était promis. Recueilli par votre père, il a sciemment oublié ses engagements. Maintenant que vous savez, accepterez-vous de donner votre cœur à un être qui en manque tant ?

Mathilde a écouté poliment mais n'attache pas la moindre importance à un discours qui, à ses yeux et surtout à ses oreilles, ne peut émaner que d'un jaloux doublé d'un mauvais perdant.

Et le jour des noces arrive, particulièrement réussi. Les tourtereaux sont fêtés par une assemblée joyeuse et heureuse d'admirer un couple aussi bien assorti.

En fin de soirée, dans la chambre nuptiale, Mathilde guette Raoul, mais c'est le chevalier au panache rouge qui fait irruption. Lorsqu'il retire son heaume, Mathilde pousse un cri de stupeur : elle vient de reconnaître Blanche de Montfort. Elle n'a pas le temps d'engager la moindre conversation. L'invitée non désirée lui enfonce un poignard dans la poitrine ; elle meurt en quelques secondes.

Blanche se cache derrière une épaisse tenture quand Raoul entre dans la pièce. Tout va alors très vite. Le jeune époux se penche vers Mathilde, se rend compte de ce qui vient de se produire lorsque, à son tour, il reçoit plusieurs coups de couteau. Juste avant de rendre le dernier soupir, il entrevoit le rictus vengeur de celle qu'il avait délaissée.

La double meurtrière prend la fuite en sautant par la fenêtre. On raconte que Blanche se tua. Pourtant, on ne retrouva jamais son corps...

Baraque Michel

Perdu dans la neige et la nuit, à bout de forces, un homme s'écroule

En 1800, Michel Schmitz a cinquante ans ; il habite à Herbiester (commune de Jalhay). Originaire de Sinzig, près de Remagen, sur le Rhin, il exerce la profession de tailleur. On ignore pourquoi Michel Schmitz est venu s'établir chez nous et comment il a connu Marguerite Josepha Pottier, une fille de Jalhay. Ils se sont mariés en 1799 et ont repris une petite ferme. Mais, parallèlement, Schmitz poursuit ses activités de tailleur qui l'obligent à voyager, à aller à la rencontre de la clientèle, de village en village.

Pas plus que le mauvais temps, les distances ne font peur à cet homme robuste. Et, dans la région où il habite, les conditions climatiques ne sont pas souvent favorables.

Dans le courant de l'automne de cette année 1800, Michel Schmitz quitte son domicile pour Malmedy. Il s'est mis à neiger abondamment et, sur le chemin du retour, Michel ne sait plus exactement où il se trouve, sinon dans ces Hautes-Fagnes que l'on sait dangereuses et parfois meurtrières. On dit dans les Ardennes que « la Fagne doit avoir son homme chaque année »… Michel a déjà entendu cet inquiétant précepte qui fait frémir lorsque, perdu dans une tempête de neige, on ne voit plus du tout vers où il faut se diriger. Les chemins n'existent plus. La végétation, largement recouverte, ne fournit pas la moindre indication. Et la nuit qui vient de tomber n'annonce rien de bon.

Michel avance comme il le peut, c'est-à-dire en trébuchant, en se retenant parfois à une branche d'arbre, à moins qu'il ne s'étale, n'ayant pu éviter un obstacle qu'il ne distingue pas.

Les minutes et les heures s'écoulent sans la moindre amélioration. Le froid, la faim, la soif font perdre progressivement sa lucidité à Michel, qui finit par redouter d'achever ses jours les pieds enfoncés dans la tourbe.

Schmitz s'assied sur un tronc d'arbre, ou quelque chose de semblable, se repliant sur lui-même. Ses forces ont considérablement diminué. Il se sent épuisé, ferme les yeux et, inconsciemment, se rend compte que s'il se laisse aller ainsi, il va mourir. Alors, dans un dernier sursaut d'énergie, il se lève, implore le ciel, marmonne une vague prière et se remet à avancer. Et, quelques instants plus tard, à travers le brouillard, il perçoit de faibles lueurs. Il croit à une hallucination mais, se frottant les yeux, se rend compte qu'il ne rêve pas. Il ne lui reste plus qu'à se laisser guider. Pour enfin atteindre Herbiester et son logis !

Conscient qu'il se trouve encore en vie par miracle, Michel Schmitz a planté sa canne à l'endroit où il a réalisé qu'il était sauvé. Dès le lendemain, il y retourne et se lance dans la construction d'une hutte, dans un premier temps faite avec les moyens du bord, des troncs de bouleau et des mottes de gazon. Il veut aussi y placer une lumière que l'on verra de loin, ainsi qu'une cloche que l'on actionnera régulièrement à l'intention de gens qui, comme ce fut son cas, s'égarent dans la Fagne.

Michel Schmitz se montre à ce point fidèle à son serment qu'il en délaisse sa vie conjugale. Il s'installe dans sa hutte en la seule compagnie de son chien. Son épouse, elle, préfère le confort de la fermette d'Herbiester. Régulièrement pourtant, Schmitz retrouve son foyer car, au fil des années, deux enfants verront le jour. Et plus tard, lorsque Michel aura effectué des travaux de plus ample importance, sa famille le rejoindra dans sa deuxième résidence.

Schmitz y décède le 9 décembre 1819, là même où il avait failli trépasser dix-neuf ans plus tôt. Il laisse un fils de dix-huit ans et une fille de dix ans qui, avec leur maman, vont continuer à écrire l'histoire de ce qui deviendra la Baraque Michel. Sur les hauteurs de la Belgique, elle culmine à six cent septante-quatre mètres.

Beaumont

Charles Quint prisonnier de trois chaudronniers

Au mois d'août 1549, il faisait particulièrement chaud à Beaumont. Au bord de la route, trois chaudronniers, des Auvergnats, qui en avaient assez de leur lourde charge, buvaient de l'alcool. Ils cherchaient autant à se désaltérer qu'à se distraire. Au milieu de leurs libations, ils virent arriver au bout du chemin un cavalier dont ils se moquèrent puis, lorsque celui-ci parvint à leur hauteur, ils lui lancèrent :

– Hé, le beau cavalier, tu vas nous aider dans notre boulot !

L'étranger rit. Pas longtemps car les trois lascars lui tombèrent dessus et, le menaçant d'un couteau, l'emmenèrent de force à Beaumont, l'obligeant à porter une partie de leur fardeau. Ils avaient le projet de rejoindre une auberge.

Mais à l'entrée de la ville, le prisonnier appela un garde et ordonna :

– Emparez-vous de ces bandits ! Ils ont commis un crime de lèse-majesté. Qu'ils soient châtiés !

Le capitaine en poste avait, lui, reconnu… Charles Quint ! Les vauriens n'en revinrent évidemment pas. Et encore moins de la grande rapidité avec laquelle justice est rendue. Car, très vite, sans avoir eu droit au moindre avocat, les coupables se retrouvèrent conduits au gibet. Juste avant d'être pendu, l'un des pauvres types s'exclama :

– Ville de Beaumont, ville de malheur.

Arrivés à midi, pendus à une heure.

Cette légende – qui donne encore lieu à une fête folklorique tous les cinq ans, le premier week-end d'octobre – se situe dans le courant d'une année importante pour Charles Quint, qui a décidé de faire venir chez nous son fils unique, Philippe, âgé de vingt-deux ans, afin de le présenter à la noblesse et aux grandes villes des Pays-Bas. Celui-ci a quitté l'Espagne et Barcelone le 2 novembre 1548. Pas moins de cinquante-huit véhicules transportant la cour et le personnel de Philippe montent ainsi vers le nord de l'Europe. Cet impressionnant cortège passe par Gênes, Milan, Mantoue, Trente, Munich, Augsbourg, Ulm et Luxembourg. Puis c'est, le 29 mars 1549, l'entrée dans Namur. Trois jours plus tard, le 1er avril, Charles Quint serre son fils dans ses bras à Bruxelles où, comme à Louvain, le jeune homme se voit reconnu seigneur et duc de Brabant.

Philippe connaît ensuite magnificences et acclamations à Gand, Bruges, Ypres, Lille, Tournai, Arras, Valenciennes, Tournai.

Charles Quint et Philippe passent par Landrecies, Chimay, Mariembourg, Beaumont – nous y voilà ! – et posent leurs malles à Binche le 22 août dans la soirée.

Jusqu'ici, les villes seules ont financé les festivités de la réception du futur Philippe II. À Binche, Marie de Hongrie (née à Bruxelles en 1505), dame de Binche et sœur de Charles Quint (qui la nomma gouvernante de nos provinces en 1531), débourse elle-même les sommes nécessaires dans un but politique. Elle veut que l'héritier du trône d'Espagne (qui deviendra également souverain des Pays-Bas) soit impressionné et bien disposé à l'égard des nobles de chez nous. Elle y réussit au-delà de ses espérances.

Dès le samedi 24 août, Charles Quint et son fils sont happés par des manifestations et des agapes en série, et ce pendant plusieurs jours. Samuël Glotz, qui consacra à ces exceptionnelles réjouissances binchoises une étude approfondie[1], écrit :

« L'opulence qui s'y étale, de même que les rappels antiques, répandus à foison, de l'architecture, de la décoration ou les souvenirs mythologiques, constituent des signes avant-coureurs d'une civilisation nouvelle : la Renaissance commence à poindre. »

1 « Les fêtes de Binche en 1549 », in *La Vie Wallonne*, tome XXII, Liège, 1948.

Blankenberge

Une princesse de Jérusalem découvre la Flandre

Du temps des Croisades, un roi tout-puissant vit à Jérusalem avec sa fille, Blanka. Un jour, celle-ci se promène à cheval au côté de ses dames de compagnie. Elle s'éloigne plus que d'habitude du château paternel et s'égare.

– Heureusement, dit-elle à son entourage, j'aperçois quelques chevaliers qui ne manqueront pas de nous remettre sur la bonne route.

Les chevaliers en question se montrent charmants, en apparence en tout cas. Au fil de leur balade, les dames se posent des questions car elles ne reconnaissent pas d'endroits familiers. Et pour cause : les hommes au demeurant sympathiques ne les ont pas du tout conduites à leur point de départ, mais au pied d'une tour dans laquelle ils les enferment ! Une seule parvient à s'échapper et galope jusqu'à Jérusalem, où elle peut alerter le père de Blanka.

Catastrophé, celui-ci ne sait que faire, sinon envoyer un dragon qui ainsi gardera la tour où sa fille chérie se trouve privée de liberté. Il réfléchit à la stratégie à adopter et finit par dépêcher l'un de ses conseillers vers ceux qui ont kidnappé sa fille. Celui-ci les déniche sous des tentes et apprend qu'ils viennent de la ville de Gand.

Le roi se montre prêt à donner de l'argent, beaucoup d'argent même. Mais les Gantois rient au nez de l'émissaire :

– Ce que nous voulons, nous, c'est votre ville !

Et ce semblant de négociation en reste là. Non loin des Gantois campent des Brugeois ayant parfaitement saisi les termes du marché proposé par le roi. Ils vont trouver celui-ci et promettent que, contre la somme avancée aux Gantois, ils ramèneront Blanka à la maison.

Trop heureux de pouvoir enfin s'accrocher à quelque chose de concret, le vieux souverain ne se pose pas de questions et conclut un accord avec les Brugeois. Leur chef n'est pourtant pas fiable. Il a bien l'intention de garder l'argent et, en plus, de s'emparer de la fille ! Avec sa bande, l'homme tue le dragon gardant la prison, invite la demoiselle à le suivre et la mène vers le port le plus proche. Blanka apprécie plutôt le voyage improvisé et celui qui l'a décidé. À telle enseigne que, lorsque la Flandre apparaît à l'horizon, elle ne peut nier être tombée amoureuse du Brugeois. Qui, au fil de leurs longues discussions, a converti la belle au christianisme. Lorsqu'ils débarquent sur ce qui ne porte évidemment pas encore le nom de Côte belge, les tourtereaux se rendent dans une chapelle dédiée à saint Éloi.

La jeune femme demande :

– Comment se nomme le village que nous apercevons derrière les dunes ?

Et l'autre répond :

– Je l'ignore, Blanka. Mais, dès ce jour, en souvenir de ton arrivée en Flandre, nous l'appellerons Blankenberge.

Enchantée du paysage, des gens qui l'accueillent et de l'office auquel elle vient d'assister, Blanka demande que l'on ne tarde plus à organiser son baptême. Dans ce décor plein de calme et de beauté de bord de mer, il règne en ces instants une telle communion d'esprit entre les fiancés que le mariage est décidé dans la foulée. On célèbre les deux sacrements le même jour au milieu d'une assemblée enchantée de partager le bonheur d'un couple aussi attendrissant. Son histoire avait commencé sous le signe du dragon et se poursuivait par la déclaration réciproque de leur flamme…

Bruges

Le chat qui n'aimait pas les bijoux

Autrefois, dans la région de Bruges, vivait une dame riche qui s'ennuyait. Veuve du seigneur de Beversluys, elle n'avait pas d'enfant et fort peu de centres d'intérêt. Sa seule passion se résumait à son chat. Un bel animal devant qui elle était, du matin au soir, en admiration.

Rien n'était jamais trop beau ni trop succulent pour son félin des Indes orientales, au poil particulièrement soyeux.

Dans la première moitié d'un mois d'août maussade, la dame cloîtrée chez elle ne sait comment s'occuper. Une idée lui traverse alors l'esprit : elle va déguiser son chat en princesse, sans pour autant l'habiller comme une fille de roi, mais en lui fixant sur le dos ses plus beaux bijoux ! La dame s'amuse beaucoup et, fière du résultat, amène la bestiole devant un miroir.

Ce que le chat voit ne doit pas lui plaire. Au contraire même car cette image l'incite à prendre la fuite en quatrième vitesse. Repérant une fenêtre ouverte, il saute sans hésitation et disparaît dans la nature.

Sa maîtresse s'est évidemment précipitée dans son sillage. Elle appelle, hurle, supplie... En vain.

Tétanisée à l'idée de ne plus revoir ni son seul compagnon ni ce qu'il transporte, la dame de Beversluys engage un crieur public afin de faire savoir qu'elle versera une grosse récompense à celui ou celle qui lui ramènera le tout.

L'étourdie ne dort plus, prie tous les saints du paradis en commençant par saint Antoine, réputé pour retrouver les objets égarés... Mais le chat ne revient toujours pas.

Dépitée, la dame se rend à l'église Notre-Dame de Bruges et demande audience au curé. Devant lui et devant Dieu, elle s'engage à faire don de ses bijoux à la paroisse. Si toutefois, évidemment, elle les revoit…

Et le lendemain – le 15 août, fête de l'Assomption –, sortant d'une énième nuit difficile, la dame de Beversluys remarque son fidèle ami à quatre pattes étendu au pied du lit. Double miracle car il porte encore les bijoux dont il a été affublé quelques jours plus tôt. Pas un seul ne manque !

Folle de joie, la pieuse désœuvrée court à Notre-Dame et y dépose ses biens. On raconte que c'est ainsi que l'ecclésiastique put faire fabriquer un ostensoir désigné par un nom bizarre pour une telle pièce : le chat de Beversluys !

Au-delà de la légende, il reste les faits. Marie-Madeleine de Westvelt, épouse de Frans van Beversluys, receveur général du Franc de Bruges, commanda en 1725 un ostensoir baroque en or massif à un artiste, Jan Hermans. Et en fit don à l'église Notre-Dame. Et l'animal dans tout cela ? L'histoire donne sa langue au chat…

Bruxelles

Un suicide à l'Hôtel de Ville ?

Dans son guide des *Hôtels de ville et maisons communales de Belgique*[1], Joseph Delmelle évoquait évidemment le chef-d'œuvre dominant la Grand-Place de Bruxelles. Et sa tour. Il écrivait au sujet de celle-ci : « Édifiée en 1449 par Jean Van Ruysbroek, elle additionne un parallélépipède de quatre étages, une partie octogonale de trois étages et une flèche sommée d'un saint Michel, œuvre de 1454 – en cuivre doré – de Martin Van Rode. Toute d'élégance, de hardiesse et de légèreté, cette tour représente un exploit technique, en ce sens notamment que toute la partie supérieure repose à faux sur l'intrados des voûtes terminant la partie rectangulaire. Les murs sont presque complètement évidés et sont soutenus par des arcs-boutants s'appuyant sur de gracieuses tourelles. La flèche est garnie de fleurons. »

Jean Van Ruysbroeck éprouva toutes les peines du monde à terminer son travail faute de moyens financiers et il ne dormait quasiment plus parce que sa tour ne se trouvait pas au centre du bâtiment. Chez lui, devant ses plans, il se désespérait. C'est alors qu'un moine frappa à sa porte et lui dit :

– L'argent vous fait défaut. Moi, j'ai besoin d'un homme qui me soit dévoué. Si vous voulez être celui-ci, il vous suffit de signer le contrat que j'ai préparé et vous recevrez de l'or en abondance.

1. Rossel Éditions, 1975.

Pour la première fois depuis longtemps, Jean entrevoyait le bout du tunnel dans lequel il était coincé. Sans réfléchir, il prit la plume que l'inconnu lui tendait et apposa son paraphe au bas du document.

Dans les minutes qui suivirent, des sacs d'or envahirent subitement la table de travail de Van Ruysbroeck. L'architecte réalisa qu'il avait pactisé avec le diable. Et s'en moqua car il savait qu'aucune autre solution ne s'offrait à lui. Il demanda à son drôle de moine :

– Il faut que vous m'aidiez afin que ma tour se trouve juste au centre de l'ensemble.

Le faux religieux éclata de rire.

– Je ne puis réaliser l'impossible ! Mais grâce à mon or, je te promets que ton édifice s'élèvera bien haut dans les airs et que ton nom vivra durant les siècles.

Comme son énigmatique visiteur le lui avait assuré, Jean Van Ruysbroeck put terminer le chantier pour lequel l'or avait miraculeusement coulé. Ensuite, il voulut se lancer dans les fondations de la seconde moitié de l'hôtel de ville, qui lui permettrait de centrer parfaitement sa tour. Mais, en creusant, Jean ne put aller bien loin car le sol était marécageux. Il se souvint des paroles de son curieux moine : « Je ne puis réaliser l'impossible ! »

Jean l'appela à l'aide mais il ne répondit pas. Un soir, au bout du rouleau, le malheureux, qui regrettait amèrement d'avoir vendu son âme à Satan, se suicida.

À l'aube, un prêtre remarqua son corps pendu à la porte de son domicile de l'actuelle rue Charles Buls, donnant sur la Grand-Place, qui s'appela la rue de l'Étoile et, dit-on, la rue de l'Étole pour une raison expliquée dans la suite de cette histoire.

L'ecclésiastique coupa la corde, prit le corps dans ses bras et lui passa autour du cou l'étole qu'il portait car il s'en allait célébrer une messe pour des ouvriers. Le diable fut ainsi chassé et Jean ressuscita! Rendant grâce à son sauveur, il changea brutalement de vie et se retira au couvent des Bogards (des frères franciscains) d'où venait le matinal bienfaiteur.

Comment mourut en réalité Jean Van Ruysbroeck? On l'ignore. Il semble en revanche qu'il rendit le dernier soupir alors qu'il était entré dans le grand âge. Celui où l'on est d'habitude débarrassé des soucis liés au travail…

Ce qui demeure des paroles du moine diabolique concerne la postérité. On admire en effet toujours la tour de Jean Van Ruysbroeck. Et on parle encore de lui. La preuve…

Comblain-la-Tour

À Noël, les cloches sonnent au fond de l'eau

Enguerrang de Comblain-la-Tour tourne dans sa cellule comme un lion en cage. Il peste de s'être bêtement laissé piéger. Il savait pourtant que ses querelles avec le seigneur de Harzé pourraient mal finir. Et, à force de titiller le danger, il a perdu la partie. Son puissant voisin n'a pas hésité une seconde et, lorsque l'occasion s'est présentée, il a capturé le bouillonnant Enguerrang et l'a expédié au fond d'un cachot.

À quelques kilomètres de là, dame Lydwine de la Tourelle, épouse d'Enguerrang, éprouve bien des difficultés à trouver le sommeil. Chaque matin que Dieu fait lui amène un peu d'espoir simplement parce que Lydwine a la foi. Mais, hélas, le soir, elle se couche toujours seule. Elle passe de longues heures en prière et répète :

– Que le ciel me rende mon bien-aimé sans lequel je ne puis vivre !

Un jour pourtant, dame Lydwine de la Tourelle se lasse et décide d'agir. Elle appelle Herlinde, sa servante.

– Prépare-toi, ordonne-t-elle. Nous allons à Harzé.

Le temps particulièrement clément permet aux deux femmes d'avancer tranquillement au cœur de la forêt. Dans le lointain, des chevaux galopent en leur direction. Un peu plus tard, non loin d'elles, des hommes mettent pied à terre. Et Lydwine reconnaît celui qui s'avance vers elle : le seigneur de Harzé !

Il se trouve au milieu d'une partie de chasse qui tourne à son avantage. Moyennant quoi il se montre de charmante humeur et a envie de la partager. Lydwine se jette à ses pieds ; son interlocuteur lui demande de se relever immédiatement. La dame plaide la cause de son époux et n'a pas besoin d'un long discours pour convaincre. En un instant, le seigneur de Harzé lui promet que, avant la tombée de la nuit, son époux sera de retour sur ses terres.

Lydwine, qui a si souvent rêvé d'entendre ces paroles, se confond en remerciements. Et afin de prouver sa reconnaissance au seigneur de Harzé, elle a une idée.

– Daignez, dit-elle, accepter un présent qui marquera la paix retrouvée : les cloches de Saint-Laurent de l'abbaye d'Anthisnes !

L'heureux bénéficiaire se montre touché. Il faut dire que l'on prête à ces cloches un pouvoir miraculeux : celui d'éloigner la foudre d'aussi loin que l'on peut en percevoir le tintement.

Les modalités pratiques ont été fixées : le témoignage de cette amitié nouvelle sera livré avant Noël car le seigneur de Harzé souhaite que les cloches résonnent dans la chapelle de son château pour la célébration de la Nativité.

L'homme qui a été chargé du transport s'appelle Ninane Materne. Il habite Xhignesse et est le fiancé d'Herlinde, la servante de dame Lydwine de la Tourelle.

Drôle de type, ce Ninane, bourru et faisant un peu peur. On murmure à son sujet des choses étranges. Par exemple, une nuit, il aurait été aperçu dans le cimetière de Xhignesse entouré de sorcières et faisant danser sa dulcinée...

La tâche confiée à Ninane Materne s'avère rude car, pour parvenir à Harzé, il faut traverser l'Ourthe !

Le 24 décembre au petit matin, il a abondamment neigé sur la région. Au bord de l'eau, dès l'aube, Ninane guette le convoi des hommes d'Enguerrang. Mais les chemins impraticables retardent l'entreprise de plusieurs heures. Déjà peu enchanté à l'idée de réaliser ce travail ingrat, Materne peste encore davantage en poireautant au pied des Rochers de la Vierge.

– Pas trop tôt ! bougonne-t-il à l'intention des paysans qui pointent enfin le bout de leur nez gelé.

Sur la rive d'en face, des prêtres, des enfants et des manants se sont mis à chanter des cantiques de Noël afin de tromper leur attente.

Ninane Materne n'a que faire des bénédictions données par un ecclésiastique au moment du départ. Ne crachant pas sur les blasphèmes, il enrage d'être mêlé à une aventure qu'il juge grotesque. En glissant sur la rivière, il éructe.

– Qu'elles aillent au diable, ces maudites cloches de saint Laurent !

Dans les minutes qui suivent, un orage d'une ampleur exceptionnelle éclate. De part et d'autre de l'Ourthe, les gens courent se réfugier où ils le peuvent. Par centaines, les corbeaux croassent. Dans la forêt, des meutes de loups se rejoignent dans un concert de hurlements qui précèdent un coup de tonnerre à ce point violent que les cloches tremblent. L'embarcation de Ninane Materne, qui gardait l'équilibre tant bien que mal, vacille quelques instants avant de sombrer dans l'Ourthe ! Materne a à peine le temps de se rendre compte de ce qui lui arrive et n'a aucune possibilité de réagir : il est précipité au fond du cours d'eau avec son chargement…

Cette nuit-là, nuit d'un Noël tragique, dans la chapelle de Comblain-la-Tour, la foudre anéantit inopinément Herlinde, ainsi associée dans la mort à son amant de sulfureuse réputation.

Aux abords de l'Ourthe, on raconte depuis que, à Noël, vers minuit, au pied des Rochers de la Vierge, les femmes de bonne volonté peuvent entendre sonner du fond de l'eau les cloches de saint Laurent. À condition, évidemment, de posséder une excellente ouïe…

Coo

Le secret de l'œil caché

« Sur une colline bordant l'Amblève, dans la région de Coo, un corps est affalé dans la neige. À côté de lui, un fusil, le canon dirigé vers la poitrine. Il s'agit d'un homme d'environ cinquante-cinq ans, de taille moyenne, dont le visage présente des traits irréguliers. Il s'appelle Verannes. Parti à la chasse quelques jours plus tôt, il serait tombé de son cheval ou trébuché. Une balle serait partie accidentellement et l'aurait touché au cœur. À moins que l'individu ne se soit suicidé. Mais, de toute façon, ce n'est rien d'autre qu'un accident. »
Voilà ce que l'on pouvait dire au début du XIXe siècle d'une affaire rapportée par Émile Greyson en 1860 (et rééditée par la suite) [1]. Tout le monde l'oublia. À l'exception d'une personne : Élise, la veuve du défunt.

La jeune femme s'était mariée à l'âge de dix-sept ans à la suite d'un véritable marchandage, même si le terme n'avait jamais été employé.

Verannes était un homme sans scrupules qui, tout au long de son existence, avait saisi maintes occasions pour s'enrichir. « L'argent n'a pas d'odeur », une devise que Verannes aurait pu faire sienne.

Il devait sa fortune à des affaires la plupart du temps douteuses, quand elles n'étaient pas franchement malhonnêtes.

En s'intéressant aux activités scabreuses de Verannes, on fit la connaissance de M. de Noirmont, négociant réputé

1 Émile Greyson, *Le Passeur de Targnon*, Les Publications Ardennaises, 1938.

pour son intégrité ayant commis imprudemment une spéculation boiteuse. D'urgence, il lui fallait des liquidités.

Verannes figurait parmi les relations de Noirmont; il apparut comme le sauveur qui, effectivement, sortit le brave homme du pétrin dans lequel il s'embourbait. M. de Noirmont se confondit en remerciements, d'autant que son riche voisin n'avait mis aucune condition à ses largesses.

Bientôt cependant, à la faveur d'un dîner amical, Verannes jeta un froid: il demanda à Noirmont la main de sa fille, Élise.

Celle-ci prit cette requête comme un coup de poignard dans le cœur. Elle n'avait en effet jamais caché à son père la douce attirance qu'elle éprouvait à l'égard de l'un de ses amis, Frédéric Blum, un jeune Allemand sorti tout droit d'un conte de fées dans le rôle du prince charmant. Frédéric était beau, riche et intelligent! De trois ans l'aîné d'Élise, il formait avec elle un couple de rêve. Verannes savait tout cela. Mais il avait décidé que la ravissante Élise serait à lui et il ne tolérerait la présence de quiconque en travers de sa route.

Noirmont temporisant, le machiavélique Verannes attendait son heure. Et n'allait pas tarder à provoquer son avènement.

Apprenant que son « ami » s'embarquait dans une nouvelle opération ruineuse, il prit le parti de ne point l'en avertir et de n'intervenir que lorsque le malhabile négociant aurait la corde au cou. Son plan se réalisa selon ses prévisions.

Surgissant une fois encore comme l'envoyé de la providence, Verannes répéta le même discours que quelques mois auparavant:

– Je ne veux rien. Je suis trop heureux d'avoir pu rendre service...

Dans la minute pourtant, il redit son amour éperdu pour Élise et son impatience à quitter le célibat. Noirmont était coincé. Comment aurait-il pu dire non à celui qui, à deux reprises, lui avait évité le déshonneur et, sans doute, la prison ?

Élise pleura beaucoup puis finit par se résoudre à accomplir ce que son père lui présenta comme un « devoir ».

Elle épousa donc l'infâme Verannes et alla habiter avec lui au village de La Vaulx-Renard.

Fou d'amour, de rage, de désespoir et de vengeance, Frédéric, qui en voulait à Élise de l'avoir abandonné, s'installa non loin de là, à Froidcourt. Ce qui, dès qu'il l'apprit, fit entrer Verannes dans une colère noire dont sa femme fut la victime. Il hurlait :

– Tu crois que je n'ai pas compris ce que tu mijotes ?

Élise avait beau tenter de calmer son mari, celui-ci continuait à crier.

– Il ne sera jamais ton amant ; je le tuerai avant !

Élise supportait ces mots avec d'autant plus de douleur qu'en accédant aux supplications paternelles, elle avait réellement fait une croix sur son passé et accepté le choix imposé par le destin. Fière, elle n'avait jamais laissé paraître le moindre sentiment pouvant faire croire à Verannes qu'elle constituait le cadeau de remerciement de la famille de Noirmont.

Au comble de sa crise de nerfs, Verannes claqua la porte du domicile conjugal. Les heures s'écoulèrent sans qu'il donne de nouvelle. Élise craignait le pire et griffonna un mot qu'elle fit porter à Frédéric. Avait-il vu son époux ? Si oui, comment la rencontre s'était-elle déroulée ? Le billet revint sans réponse. Le messager dit à Mme Verannes que M. Blum était en voyage et absent depuis trois jours.

Les forces de l'ordre se présentèrent bientôt dans la propriété d'Élise et lui annoncèrent que le corps sans vie de son mari venait d'être retrouvé. Élise éclata en sanglots. Avait-elle aimé Verannes ? Elle ne l'aurait pas juré mais sûrement lui avait-elle donné un peu d'affection et peut-être commençait-elle à s'attacher à lui. En réalité, ses larmes étaient provoquées par la haine que lui inspirait le comportement de Frédéric. Car, immédiatement, Élise fut convaincue que son ancien fiancé était désormais un assassin.

Quatre années passèrent. Au milieu de la campagne ardennaise, Fanny, dix-sept ans, la sœur cadette d'Élise, riait aux anges, émerveillée par tant de beauté et par la vie qui lui était si douce. De plus, elle venait d'être subjuguée par un mystérieux cavalier qu'elle n'avait pu qu'entrevoir au hasard de sa promenade. La ravissante Fanny commençait à se rendre compte qu'elle ne laissait pas indifférente la gent masculine ; un motif supplémentaire de joie pour une demoiselle d'un naturel gai et optimiste.

Étendu dans l'herbe chaude, Joseph Ménaige rêvassait en observant Fanny aller et venir comme un papillon se pose de fleur en fleur. Joseph Ménaige, officier, cousin de Fanny, était secrètement amoureux du joli papillon…

L'air absent, une autre délicieuse créature au visage préoccupé faisait semblant de se reposer dans un fauteuil d'osier posé à l'ombre d'un marronnier. La tête en arrière, les bras sur les accoudoirs, Élise revoyait une image qui l'obsédait depuis deux heures. Intérieurement, elle bouillait car elle avait parfaitement reconnu le cavalier passé au grand galop entre elle et sa sœur : c'était Frédéric ! À qui elle en voulait toujours, exactement comme quatre ans plus tôt. Elle ne comprenait pas qu'il revienne troubler sa quête de tranquillité. Et le vouait encore davantage aux gémonies.

Si Élise avait décidé de revenir à La Vaulx-Renard, c'était pour accompagner Joseph, atteint d'une maladie pulmonaire et à qui le médecin avait prescrit une cure au grand air. Fanny, trop jeune pour se souvenir de son beau-frère, se faisait une fête de ce séjour.

Dès qu'Élise s'était approchée de La Vaulx-Renard, elle avait troublé plus d'un homme. Il y avait d'abord Frédéric, qui ne devait pas s'attendre à la revoir. Il y avait ensuite Joseph, qui surprit l'énervement provoqué chez sa cousine par l'inconnu à cheval. Il y avait enfin le passeur de Targnon qui, en apercevant Élise et Frédéric l'espace d'une poignée de secondes, avait subitement été saisi d'une grosse inquiétude.

Le passeur de Targnon, qui pilotait les personnes désireuses de se rendre d'un côté à l'autre de l'Amblève, pouvait faire peur par son apparence. La figure osseuse, ornée d'un bandeau cachant l'emplacement d'un œil perdu, une jambe paralysée, le gaillard n'avait d'autre nom que celui indiquant sa fonction. Se déplaçant grâce à une béquille, il avait l'allure d'un monstre et faisait fuir les âmes sensibles dès la tombée de la nuit...

On ne lui connaissait pas d'amis. Lorsqu'il proposa ses services à Targnon, personne ne savait qui il était. Le bonhomme marmonna qu'autrefois, il avait vécu dans la région et qu'après de longs voyages, il désirait y finir ses jours. Pas bavard pour deux sous, il se contenta d'effectuer son boulot, ce qui tomba assez bien car personne n'avait envie d'engager la conversation avec un type comme lui.

Dissimulé au haut d'une colline, Jacques, le vieux berger, n'avait rien perdu de tout ce qui venait de se dérouler sous ses yeux curieux.

Fanny n'était pas la seule dans les parages à irradier de bonheur. Gude, la petite bonne engagée pour servir Mme Verannes et sa famille, avait souvent un refrain joyeux aux lèvres. Cette jeune femme bien portante était orpheline ; elle ne comptait plus que sur l'affection de son grand-père, Jacques, qui l'aimait de tout son cœur car, en dehors de Colas, son chien fidèle, il n'avait plus personne à chérir sur terre.

Très vite, Élise se rendit compte que Joseph éprouvait de tendres sentiments à l'égard de Fanny. Elle mit en garde la gamine, qui éclata de rire !

– Mais je n'en veux pas, moi, de Joseph !

Ce que Fanny n'avoua pas, c'est qu'elle n'avait plus en tête que le brillant cavalier qui, apprit-elle, habitait un beau domaine à Froidcourt. Ce secret-là, Gude l'avait percé et le confia à son grand-père, qui répliqua :

– Il n'y a pas qu'au cousin que Fanny va causer de la peine…

À peine acheva-t-il sa phrase que Joseph, qui avait surpris la conversation de derrière un bosquet, sortit de sa cachette en dissimulant son désarroi.

Jacques l'observa et constate que la maladie affaiblissait le jeune homme.

– Vous devriez consulter le docteur Berneux. Il est sage et savant, il peut vous soigner efficacement.

Jacques éprouvait toujours une grande douleur en évoquant Berneux, qui lui rappelait son fils mort de ne pas avoir écouté les conseils du bon médecin.

Au milieu de leur conversation, un coup de feu retentit. C'était Frédéric qui chassait maladroitement. Tout le monde accourut. Frédéric parla à Joseph, qui se montra rassuré ; il ne semblait pas s'intéresser vraiment à Fanny qui, elle, dévorait des yeux son beau voisin. Quant à Élise, elle se forçait à afficher un sourire crispé avant de tourner les talons.

Sur les conseils de Jacques, elle invita le docteur Berneux à dîner.

Dans les heures qui suivirent, Jacques, la pipe au bec, s'assit en face du passeur de Targnon. Et après avoir débité quelques banalités, le berger passa à l'offensive. Il fixa son interlocuteur et prononça des mots effrayant son interlocuteur qui, pour une fois, ne put demeurer impassible.

– Moi, je crois que ton deuxième œil est parfaitement sain. Et ce que tu caches là, ce n'est pas une infirmité…

Jacques se tut et attendit la réaction du passeur, qui s'impatienta. Le berger poursuivit.

– Qui peut jurer n'avoir jamais commis de bêtise? Un jour, en se défendant, sans aucune intention meurtrière, on tue… Alors, pris de panique, on fuit…

Le passeur, dont le visage luisait de transpiration, n'en put plus. Il cria:

– Ça suffit! L'un de nous est de trop ici.

Puis il menaça:

– Je vais t'envoyer au fond de l'Amblève!

Jacques sourit, désarçonnant ainsi le passeur.

– Pense à ces pauvres truites; elles méritent meilleure pitance…

Se croyant cuit, le passeur se mit à parler comme il ne l'avait pas fait depuis bien des années.

– Autrefois, admet-il, j'ai commis une faute très grave. Je voudrais tant l'oublier…

Rien ne pouvait arrêter la confession du passeur hormis un quidam s'avançant vers lui afin de requérir ses services.

– Je garderai tout ceci pour moi. Tu as ma parole, promit Jacques.

Le plus extraordinaire dans ces aveux aussi promptement livrés, c'est que le berger ne possédait aucune information précise sur le passé du passeur. Simplement, il y avait quelques mois déjà qu'il l'observait et que son comportement l'avait intrigué à diverses reprises. Jacques y était allé au bluff. Cela a payé…

Pendant ce temps, le docteur Berneux regardait de près Joseph et acquérait une certitude dans laquelle la science ne jouait pas un grand rôle: le meilleur médicament que l'on pouvait lui administrer, c'était l'amour de Fanny! Le bon médecin s'en ouvrit à Élise, qui leva les yeux au ciel:

– Ma sœur ne me paraît pas encore suffisamment mûre pour être sûre de ses sentiments…

Berneux s'adressa ensuite à Fanny.

– Votre cousin doit se reposer et profiter de l'air pur de la campagne. Il peut guérir. Il reste que, très épris de vous, un geste tendre de votre part contribuerait largement à son rétablissement…

La riposte sembla sans appel.

– Docteur, je n'aimerai jamais Joseph. Jamais !

Jacques, lui, savait qu'il se mêlait de ce qui ne le regardait pas mais, c'était plus fort que lui, il fallait qu'il aille jusqu'au bout d'une sorte de mission. Juste pour rendre service…

Lorsque Frédéric Blum accepta de le recevoir, le berger lui exposa une situation simple. Joseph aimait Fanny. Fanny aimait Frédéric. Mais Frédéric ne devait pas aimer Fanny, ce que l'intéressé lui confirma. En revanche, Joseph serait bien aidé dans sa guérison par l'affection de Fanny.

– Alors, conclut Jacques, je me demandais pourquoi vous ne partiriez pas, au moins un certain temps…

Frédéric ne ricana pas, ne s'emporta pas. Plongé dans ses pensées, il murmura :

– Vous avez peut-être raison…

Mais Jacques surenchérit.

– À moins, bien entendu, que vous n'aimiez encore Mme Verannes…

Frédéric perdit son calme.

– Taisez-vous !

Puis :

– Vous avez raison, ma présence complique tout ici.

À la tombée du jour, Frédéric se balada à La Vaulx-Renard et guetta Élise, qui ne tarda pas et le vit.

– Comment osez-vous revenir en ce lieu après avoir assassiné mon mari ?

Frédéric ne se troubla pas.

– Je mentirais si je prétendais n'avoir pas souhaité la mort de celui qui a détruit mon bonheur. Mais je vous prie de me croire : je ne suis pour rien dans sa disparition. J'étais loin d'ici lorsque le drame s'est produit.

Élise n'avait pas envie de discuter.

– Je ne vous crois pas ! Laissez-moi, maintenant.

Frédéric insista.

– Que vous faut-il de plus que ma parole d'honneur ?

Élise était prête à tourner les talons.

– Restons-en là. Je ne vous pardonnerai jamais.

Le lendemain, à la faveur d'un tête-à-tête très intime, Élise soulagea son cœur auprès de sa sœur et lui raconta comment, quelques années auparavant, elle avait failli épouser Frédéric Blum. Fanny se montra bouleversée, non pas parce qu'elle était réellement amoureuse du cavalier, mais parce qu'elle ignorait tout du calvaire enduré par son aînée.

À peu près dans le même temps, Jacques retourna vers le passeur de Targon qui, se sentant traqué, prit son fusil et attendit plusieurs hommes. Convaincu que le berger avait prévenu les forces de l'ordre, le monstre s'apprêta à livrer un combat désespéré. Dès qu'il aperçut Jacques, il tira et abattit Colas, son chien fidèle. Un peu plus tard, malgré l'absence totale d'agressivité de Jacques, il utilisa une autre balle et blessa grièvement le brave homme, qui s'écroula.

Le passeur n'avait rien compris. Certes, Jacques avait fini par percer son secret. Mais jamais il n'aurait vendu qui que ce soit.

Le type qui venait de se servir de son fusil n'avait pas eu de chance. Orphelin, il avait grandi chez un fermier qui l'avait nourri et lui avait appris à travailler. Par la suite, il était devenu domestique au service d'un certain Verannes. L'entente n'avait pas été bonne avec cet être rustre et sans scrupules. Le serviteur avait fini par partir, en mauvais termes, au moment où Verannes avait épousé Élise.

Le hasard, qui faisait quelquefois très mal les choses, avait remis Verannes sur le chemin de son ancien domestique le jour de la dispute avec Élise.

Verannes attaqua :

– Tu me guettais pour me tuer !

Verannes avait – mal – visé et atteint la jambe de son adversaire, qui plongea sur lui et, en se défendant, l'élimina définitivement...

L'homme avait vécu comme il avait pu dans la forêt. Il s'était refait une apparence, un bandeau sur l'œil, une fausse invalidité de la jambe...

Accouru après l'appel au secours lancé par Gude, le docteur Berneux ne put que soulager les ultimes instants de Jacques et recueillir le récit de ses dernières heures. Le berger fut transporté au domicile le plus proche : celui d'Élise, qu'il appela à son chevet.

– Je ne donnerai pas le nom du coupable. Sachez seulement que mon assassin est le même que celui du feu votre époux. Frédéric ne vous a pas menti.

La suite de la vie d'Élise fut plus heureuse. Libérée de ses soupçons, elle trouva refuge dans les bras de Frédéric. Fanny ouvrit les siens à Joseph. Ces deux-là finirent même par se marier et eurent un enfant. Malheureusement, la maladie eut raison de la résistance de Joseph. Veuve comme sa sœur l'avait été naguère, Fanny put compter sur l'aide d'Élise et Frédéric, chez qui elle habita.

Entre-temps, sans que quiconque y prêtât vraiment attention, on avait retrouvé dans l'Amblève le corps d'un homme dont la barque avait visiblement percuté un rocher. Aucun signe distinctif ne fut signalé. D'aucuns s'interrogèrent simultanément sur une autre disparition, celle du passeur de Targnon. Mais les mêmes firent remarquer que la victime de l'accident avait eu, jusqu'au moment de l'accident, l'usage de ses yeux et de ses jambes. L'homme à la figure traversée d’un bandeau dont on ignorait tout demeura donc une énigme. Jusqu’à ce que, dans sa vieillesse, le docteur Berneux ne lève le voile sur le double crime de La Vaulx-Renard.

Etterbeek

De la pâte à crêpes pour apprivoiser un fantôme

Il y a longtemps, une fois la nuit tombée, les habitants d'Etterbeek prenaient bien soin de ne pas s'approcher d'une vieille ferme dans laquelle personne n'avait mis les pieds depuis des années. Pourquoi ? La population la jurait hantée...

Au début, les autorités communales en avaient ri. Une personne puis une autre avaient signalé la présence d'un fantôme à Etterbeek ! Très vite, la nouvelle circula et on ne compta plus les gens ayant entendu avec effroi des os s'entrechoquer et des cris plaintifs répétés... Le temps passait et le fantôme ne se décourageait visiblement pas. On promit une très belle récompense à celui ou celle qui mettrait fin au régime d'une telle terreur. Le lot offert en valait la peine : une maisonnette meublée ! Les candidats se battaient... pour ne pas monter au front.

Jusqu'au jour où un inconnu, un manant sans le sou, prénommons-le Joseph, débarqua à Etterbeek, prit connaissance du défi et se déclara prêt à le relever. Il n'y mit qu'une condition : il se rendrait à la ferme avec une poêle, de quoi faire des crêpes (son péché mignon) et du feu. On lui donna évidemment ce qu'il demandait. Et, une nuit, Joseph partit en direction du lieu maudit. Il s'y installa et, sans crainte, s'occupa de la préparation de son repas. Il avait le nez dans la pâte quand, venant de la cheminée, une voix lui demanda :

– Je peux descendre ?

Joseph avait à peine répondu « oui » qu'il vit atterrir tout à tour des tibias, des côtes, des os et, bientôt, un crâne qui roula sur le sol...

Toujours pas impressionné, Joseph ne prêta pas attention à ce qui se passait à quelques mètres de lui. Et pourtant, le squelette était en train de se reconstituer ! Quand il s'approcha de Joseph, celui-ci lui proposa une des premières crêpes qui fumaient encore sur la table. Comme le fantôme avait l'air intéressé, le cuisinier saisit un bout de bois assez fin au bout duquel il accrocha la crêpe qu'il lui tendit. *In extremis*, elle tomba. Mais mis ainsi en confiance, le squelette amena Joseph devant un mur et lui fit comprendre que quelque chose s'y cachait. Heureusement costaud, le manant entreprit de démolir partiellement l'obstacle. Le fantôme interrompit ses efforts.

– Tu vas y trouver un trésor. De mon vivant, j'ai trop aimé l'argent. J'en possédais beaucoup ; il est toujours ici. Une fois dans l'au-delà, j'ai été condamné à revenir chaque nuit dans ma ferme jusqu'à ce que je rencontre quelqu'un de suffisamment bon pour accepter de distribuer une moitié de ma fortune à des œuvres. L'autre moitié serait pour lui. Au lieu de m'aider, tout le monde m'a fui. Toi, tu es différent. Seras-tu celui qui me délivrera et me permettra de reposer enfin en paix ?

Joseph ne se déroba point. Et, un peu plus tard, grâce à son courage, il put entamer une nouvelle existence plutôt agréable. Il eut donc droit à un logis dont il améliora le confort avec le trésor de la maison hantée. En espérant, quant à lui, y faire de vieux os...

Falaën

Comme Roméo et Juliette

Dans ce beau pays mosan, quelque part entre Namur et Dinant, le cœur de Gilles de Berlaymont bat très fort, ce qui lui procure un bien fou. Pour le jeune homme, aucun doute ne semble permis : il est très amoureux de Midone de Bioulx ! Et comme il vient de se rendre compte que ses sentiments sont réciproques, il serait prêt à jurer qu'il n'a jamais été aussi heureux.

Cette histoire pourrait être toute simple et ne pas avoir retenu l'attention de la postérité. Mais voilà : les tourtereaux sont parfaitement conscients qu'ils s'engagent sur une voie difficile. Ils savent évidemment que, depuis de longues années, leurs familles se détestent. Avec Gilles et Midone, c'est bien la première fois que l'amour surgit entre les Berlaymont et les Bioulx. Jusqu'ici, seule une haine implacable a marqué les rapports des deux clans.

Nous voici donc en présence des Roméo et Juliette belges, qui décident d'oublier les querelles pour laisser la place au romantisme.

Gilles de Berlaymont n'a pas pour autant l'intention d'aller se jeter aux pieds du père de Midone afin de le supplier de lui accorder la main de sa fille. Cette démarche ne lui servirait qu'à une chose : subir une humiliation. Et fâcher son propre paternel.

Réaliste, Gilles met au point un plan qu'il expose à la charmante Midone. Il va se déguiser en page, se rendre au domaine des Bioulx et, quand personne ne s'intéressera à ses faits et gestes, sur son cheval, il enlèvera la demoiselle.

Tout se déroule comme Gilles de Berlaymont l'a imaginé. Le couple se réfugie dans le château de l'impétueux cavalier. Son imposante forteresse est celle de Montaigle, réputée pour être imprenable. Entourés de quelques proches, Gilles et Midone se marient.

Les nouvelles, même tenues secrètes, pouvant aller vite, le père de la mariée apprend ce qui, à ses yeux, constitue à la fois un affront et une trahison. Il arme ses hommes, avec qui il galope vers la forteresse de Montaigle devant laquelle il met le siège.

Le combat a commencé quand Gilles tente de sortir. Manque de chance : il se retrouve nez à nez avec celui qui, malgré lui, est devenu son beau-père. Midone accourt et veut séparer les deux hommes, qui vont en venir aux mains. Elle s'interpose mais Bioulx, hystérique, lui plante sa lance dans le ventre. La jeune femme s'effondre, tuée sur le coup. Gilles n'a pas le temps de régler son compte à l'assassin, qui a pris la fuite.

Désespéré et inconsolable, le malheureux Berlaymont enterre sa belle. Et, par la suite, ne pouvant supporter de demeurer dans des murs ayant abrité sa folle passion, il résout de partir pour la Terre sainte d'où il ne reviendra pas.

On raconte que, depuis, tous les dix ans, à minuit, un cri retentit au milieu des ruines de Montaigle. Il émane du fantôme de Midone qui, jusqu'au bout de l'éternité, pleurera son bonheur tragiquement brisé.

Ces ruines, situées dans le village de Falaën, rappellent Guy de Dampierre, comte de Flandre et marquis de Namur, qui, en 1298, racheta la terre et la demeure castrale pour l'offrir à un fils cadet issu d'un deuxième mariage, Guy de Flandre, que l'on appelait aussi Guy de Namur. C'est lui qui fit construite le château alors dit de Faing.

Guy de Namur passa à la postérité pour avoir combattu Philippe le Bel lors de la bataille des Éperons d'or, en 1302. Et il proposa la forteresse au centre de ce récit comme prison pouvant accueillir des soldats français.

Les pierres de Montaigle et leur saga ont traversé les siècles. En 1993, elles ont été classées au Patrimoine majeur de Wallonie.

Fraiture

Pour l'amour de Léocadie

1870. Léopold N., originaire de Rivage, est curé à Fraiture (province de Liège). Il a trois frères, dont le dernier est parti loin de sa région natale. Celui-ci meurt prématurément dans la misère, laissant seule et désemparée une fille en bas âge, Léocadie. Dès qu'il apprend la funeste nouvelle, Léopold n'hésite pas un instant : il fait venir sa nièce au pays et l'installe au presbytère.

D'emblée, cette nouvelle donne dans la vie familiale contrarie fortement les deux autres frères : Honoré, célibataire, et Camille, marié et père de famille.

C'est que Léopold a constitué un joli patrimoine qui, à sa mort, reviendra à ses parents les plus proches.

Honoré et Camille se montent la tête : pourquoi cette gamine, descendante d'un renégat ayant dépensé tout son argent, aurait-elle droit à la même part d'héritage qu'eux ?

Malheureusement pour la petite Léocadie, l'abbé, âgé et à la santé fragile, tombe sérieusement malade. Au point qu'Honoré et Camille, ne songeant pas un instant à cacher leur préoccupation majeure, interrogent Léopold quant à ses dernières volontés ! L'ecclésiastique, qui doit être sans illusions sur les sentiments que ses frères lui portent, les rassure :

– Vous pouvez dormir tranquilles ! J'ai rédigé mon testament et n'ai omis personne.

Durant les semaines qui suivent, l'état de Léopold ne cesse de se détériorer. Pendant que Léocadie apporte soins et réconfort à son oncle, Honoré se soucie à plus d'une reprise des dispositions prises par son aîné. Qui ne fait que répéter sa première réponse. Sentant sans doute sa fin venir, il précise que c'est à un notaire des environs de Bastogne qu'il a laissé le précieux document.

Honoré nourrit pourtant un vrai doute ; quelque chose lui dit qu'il ne sera pas content du partage effectué par l'abbé. N'attendant pas que Léopold s'en aille rejoindre un monde qu'il n'a cessé de jurer meilleur, dès le lendemain matin, Honoré saute sur son cheval et se rend à toute allure à l'adresse qu'il vient d'obtenir.

Sur place, il ruse et annonce la mine sombre à son interlocuteur que son frère bien-aimé vient de décéder. Sans les preuves attestant la nouvelle, l'homme de loi ouvre le testament et confirme tout le pressentiment d'Honoré : Léopold a fait de Léocadie sa légataire universelle ! Tout en allouant une somme égale à chacun de ses frères. Eu égard au reste de la fortune du prêtre, cet argent ne pèse pas lourd. Simplement, Léopold a voulu remercier Léocadie du bien qu'elle lui a prodigué dans ses vieux jours et, plus encore, lui offrir un avenir sans souci matériel.

Alors que, sur le chemin du retour, Honoré fulmine, à Fraiture, Léopold expire. Lorsqu'on le lui annonce, le renégat voue le défunt aux gémonies et l'accable de presque tous les maux.

Le jour des obsèques, les paroissiens affluent afin de rendre un ultime hommage à leur pasteur. L'ambiance, tout au recueillement et à la tristesse, est brisée par Honoré qui a pris place près du chœur de l'église. Non seulement il ne songe nullement à cacher son absence d'émotion mais, en plus, il ricane et charge Léopold.

– On ne peut pas respecter un homme qui trahit sa famille ! affirme-t-il devant une assemblée médusée.

Non loin de lui, Camille paraît un peu gêné mais ne va pas jusqu'à faire taire la brebis très égarée par la haine.

Le soir, chez lui, à Rivage, Honoré ne se sent pas très bien. Il monte se coucher plus tôt que d'habitude puis, brusquement, appelle son domestique, qui s'inquiète.

– Êtes-vous malade ? interroge celui-ci.

– Pas le moins du monde, réplique-t-il. Il y a seulement...

– Quoi ?

– Un spectre !

– Vous voulez dire un fantôme ?

– Une forme horrible qui ressemble...

– Qui ressemble... ?

– À... à mon frère !

– En êtes-vous certain ?

– Euh... oui, non ! Appelle Camille, qu'il vienne d'urgence.

Le cadet tente de rassurer Honoré.

– Reviens à la raison ! Pour moi, les fantômes n'existent pas.

Mais brusquement, le maître des lieux s'exclame en tremblant :

– Il est revenu, je le vois !

Camille, lui, ne perçoit absolument rien qui ressemblerait à ce qu'Honoré décrit. Il fait préparer une théière de tilleul.

– Bois, ça te calmera...

Puis Camille s'en retourne à son domicile. Honoré a fait boucler le sien. Portes, fenêtres, volets : tout a été vérifié ! Pourtant, à plusieurs reprises, se jouant de la sécurité, le fantôme revient narguer Honoré, pour qui les quelques jours suivants sont tout aussi cauchemardesques.

Un beau matin (enfin, pas si beau que cela à ses yeux), Honoré annonce à Camille qu'il déménage. Cette maison est, selon lui, devenue maudite. Et il compte gagner au plus vite une autre demeure lui appartenant. Face à l'incompréhension de Camille, il argumente.

– Je n'en peux plus. La nuit dernière, il m'a dit…

– Qui est « il » ?

– Le fantôme, évidemment ! s'agace Honoré. Léopold, si tu veux !

Camille hausse les épaules. L'autre poursuit.

– Il m'a dit : « J'ai subi tes foudres parce que tu voulais t'accaparer mes biens. Et, pourtant, tu es riche. Tu as été insultant à mon égard parce que j'ai rétabli dans la famille l'ordre des fortunes en comblant une orpheline qui porte le nom de ton frère, ton nom, notre nom ! Tu aurais préféré voir cette enfant mendiant son pain quotidien. Tu as maudit mon sens de la justice. Maintenant, tu dois expier ! »

Honoré change donc d'adresse mais pas de visiteur nocturne. Car, à l'en croire, le sceptre apparaît toujours ! Il a pourtant ordonné à son domestique de se tenir à côté de son lit une faux à la main ! En vain.

Au fil des semaines, les récits de son frère se répétant, même Camille se met à douter. Et si Honoré ne délirait pas ?

Au fond de son lit, celui-ci dépérit à vue d'œil et finit par rendre le dernier soupir.

Un peu plus tard, un notaire ouvre une enveloppe sur laquelle le défunt a écrit « Expiation ». À l'intérieur, dans un court document, Honoré expliquait qu'il désirait que sa fortune aille en parts égales à ses neveux et nièces. Il avait mentionné chacun des prénoms. En n'oubliant surtout pas Léocadie.

Hergenrath

Eginhard se cache avec la fille de Charlemagne

Jeune homme charmant, intelligent et cultivé, il a tout pour plaire. Eginhard appartient à l'entourage de Charlemagne, qui l'a chargé de s'occuper des écoles ou de le représenter auprès des artistes et des savants. Contrôleur des ateliers d'art d'Aix-la-Chapelle, Eginhard lui sert également de secrétaire.

Charlemagne a repéré ce garçon et tenu à ce qu'il bénéficie du même enseignement que ses propres enfants. Cette promiscuité a fini par favoriser des sentiments que l'empereur n'avait pas prévus. Eginhard s'est toujours particulièrement bien entendu avec Emma, la fille de Charlemagne. Et la demoiselle n'ayant jamais été insensible au charme d'Eginhard, un jour, les tourtereaux ont cessé de roucouler. Dans la campagne à l'abri des regards indiscrets; ils sont devenus amants. Comme cette union-là ne leur suffisait pas, ils en sont venus assez vite à parler mariage, puis à l'envisager et, enfin, à le célébrer. Seulement voilà: la situation des amoureux n'est pas confortable. Pour un simple seigneur, épouser la fille d'un empereur relève de l'utopie. Eginhard et Emma en sont conscients. D'où la confidentialité qui a entouré leur projet. Très peu de gens ont été mis au courant du mariage. Évidemment, Charlemagne n'en a rien su.

Disciplinés, lorsqu'ils se trouvent en public, à la cour d'Aix-la-Chapelle ou ailleurs, Eginhard et Emma ne montrent aucun signe de tendresse l'un pour l'autre. Certes, on les voit complices, mais pas plus qu'avant, lorsqu'ils suivaient des cours ensemble.

Emma et Eginhard éprouvent parfois quelques difficultés à retenir certains gestes affectueux mais, le soir, en faisant preuve d'une grande prudence, ils se retrouvent enfin puis se séparent dans la nuit.

Un jour, la neige tombe abondamment lorsque Eginhard s'apprête à traverser la cour du château afin de regagner ses appartements. Malin, il fait remarquer à Emma :

– Mes pas vont laisser des traces et me dénoncer...

– Ne t'en soucie pas, répond Emma en souriant. Je vais te porter !

Et, en trois secondes, elle empoigne son époux qu'elle place sur son dos et avance... moins rapidement que prévu. Elle parvient tout de même à amener son chargement à bon port... Lorsque Eginhard met pied à terre, ce n'est pas dans la neige, mais chez lui. À la suite de quoi Emma rejoint ses pénates.

Ce que l'un et l'autre ignorent, c'est que, cette nuit-là, pris d'insomnie, Charlemagne n'a pas lézardé dans son lit mais s'est levé et, machinalement, a regardé par la fenêtre d'où il a vu le curieux manège d'Emma et d'Eginhard.

Il en a été furieux. Dès l'aube, il a réuni ses conseillers qui ont fini par laisser entendre que les tourtereaux se seraient bien mariés secrètement... La colère de Charlemagne a redoublé et son écho a été tel qu'Emma et Eginhard en ont ainsi été informés.

Il leur faut agir dans la précipitation. Une seule solution s'impose. Charlemagne n'étant pas prêt à discuter posément, il vaut mieux fuir. Le couple s'organise dans les plus brefs délais, mettant encore moins de gens au courant qu'au moment de préparer leurs noces.

Emma et Eginhard errent, dorment où ils le peuvent avant de trouver refuge au château que l'on nomme depuis Emmaburg (à Hergenrath, au pays des Trois Frontières).

Quelques années passent avant que, par hasard, Charlemagne ne croise dans la forêt avoisinante une jeune femme ramassant de la nourriture ; Emma. Il lui pardonne immédiatement et lui permet de revenir à la cour avec son mari qui, quant à lui, renoue avec ses activités auprès de Charlemagne.

En certains points, l'histoire diffère selon les sources. L'une d'elles prétend d'ailleurs que l'Emma de la légende était non pas la fille mais la nièce de Charlemagne. Ce qui expliquerait que, dans une lettre adressée à Lothaire, l'empereur emploie les mots « mon neveu » à propos d'Eginhard.

Ce qui semble plus certain au sujet de ce dernier, c'est sa mission d'abbé laïc au sein de quatre monastères. Propriétaire d'un domaine dans l'Odenwald, il a édifié l'église de Seligenstadt afin d'y mettre à l'honneur les reliques de saint Pierre et de saint Martin ramenées de Rome. Eginhard est passé à la postérité pour avoir rédigé la *Vita Caroli Magni*, entre 830 et 836. Il mourut vraisemblablement quatre ans plus tard, après avoir bénéficié non seulement de la protection de Charlemagne mais également de la confiance de son successeur, Louis le Pieux.

La Neuville-sous-Huy

Dans la crèche, l'Enfant Jésus se met à bouger...

Au début du XVIIe siècle, les Lagasse, de condition bien modeste, habitent à La Neuville-sous-Huy, un petit village ne comptant qu'un château, une ferme, une église et une quinzaine de maisons.

François Lagasse, le père, est un homme courageux qui se rive chaque jour à la tâche durant de longues heures. Mais son métier de bûcheron ne lui rapporte que peu d'argent. La situation de sa famille demeure précaire. Et le malheur n'a guère épargné celle-ci ; trois des enfants sont morts en bas âge.

À la fin de l'année 1605, le couple Lagasse reporte toute son affection sur les deux garçons ayant survécu : Louis, dix ans, et le petit dernier, Jean.

L'aîné donne toute satisfaction à ses parents. Poli, gentil, il se révèle un élève doué qui finit par subjuguer le curé du village, l'abbé Joliet, qui est aussi instituteur. Celui-ci ne cache pas sa stupéfaction quand il voit avec quelle facilité Louis assimile les subtilités des langues française et latine.

Le bon prêtre sait pourtant que son écolier préféré n'aura jamais la possibilité d'exploiter plus tard ses brillantes facultés intellectuelles. Sans le sou, la porte des études ne s'ouvre pas. Louis ne tardera pas à quitter la classe et à aller apprendre le métier de son papa que, par tous les temps, il suivra chaque matin dans la forêt.

En attendant, le gamin se montre très appliqué, à l'école, certes, mais également aux messes qu'il sert fidèlement. À la maison, dès qu'il le peut, Louis aide ses parents et, souvent, cajole son cadet devant lequel on s'extasie souvent en lançant :

– On dirait un ange !

Il est vrai que le bambin sourit beaucoup et ne gémit presque jamais.

Comme chaque année au mois de décembre, l'abbé Joliet prépare la décoration de sa petite église. Louis l'assiste dans le montage de la crèche où tous les personnages prennent place, à l'exception du principal.

Le 24 décembre, Louis se trouve chargé d'allumer les cierges grâce auxquels l'assemblée va découvrir l'Enfant Jésus couché dans la paille entre Marie et Joseph.

Environ un quart d'heure avant minuit, l'édifice est rempli. Au premier rang, on remarque le baron de La Neuville et les siens. Plus loin, les parents de l'acolyte le plus assidu de la paroisse sont plongés dans leur méditation. Et, brusquement, une idée traverse l'esprit de Louis.

Sur la pointe des pieds, profitant de la clameur des premiers chants, il quitte l'église, soulève son aube afin de marcher plus vite sans trébucher, regagne son domicile et gagne la chambre où Jean dort. Il le prend précautionneusement dans les bras, retourne d'où il vient et, dans la pénombre, s'avance vers la crèche…

Un peu plus tard, lorsque les bougies sont allumées, chacun découvre avec surprise que Jésus bouge ! Il ne s'agit pas d'une hallucination collective mais d'une substitution : le frère de Louis s'est retrouvé malgré lui entre le bœuf et l'âne gris !

Dès qu'il se rend compte de la situation, l'abbé Joliet tance vertement Louis en lui signifiant qu'il regrette de lui avoir accordé sa confiance. Mais, dans la minute, le baron, qui a tout entendu, intervient.

– Monsieur l'abbé, pourquoi gronder cet enfant ? Grâce à lui, nous avons devant nous la plus belle crèche qui soit ! Vous verrez : pour chacun d'entre nous, ce Noël sera inoubliable.

L'ecclésiastique n'est pas long à convaincre. Dans le fond, il n'en veut pas le moins du monde à Louis mais il s'est senti obligé de réagir.

Le lendemain, marqué par ce tableau qui l'a touché, le châtelain de La Neuville-sous-Huy fait venir l'abbé Joliet.

– Parlez-moi de ce jeune Louis Lagasse ! Il me plaît, dit-il.

Le baron écoute attentivement puis décrète :

– Je vais m'occuper de ces gens qui le méritent.

Il décide ainsi de les loger dans une maison spacieuse et confortable. Et prend à sa charge la scolarité de Louis qui, de cette manière, pourra accéder à des études réservées aux familles fortunées.

Inscrit tout comme le fils du baron au collège des Augustins de Huy, Louis est conduit et ramené chaque jour chez lui.

Jamais cet élève zélé ne déçoit son bienfaiteur. Chaque année, il rafle les premiers prix. Puis il se destine à la prêtrise avant d'avoir droit à une chaire de théologie.

Jean, autrefois remarqué dans le rôle de l'Enfant Jésus, profite également de la générosité du baron, fréquente les Augustins et, ensuite, choisit lui aussi une voie religieuse puisqu'il entre dans les ordres.

Très souvent, durant leurs vieux jours, les parents Lagasse se remémorèrent ce Noël de 1605 et ce miracle qui bouleversa leur vie en l'illuminant.

Liège

Une chaise réservée à un invité invisible

Il y a longtemps, à côté de Liège, un garçon que nous prénommerons Jehan se faisait particulièrement remarquer par son arrogance. Convaincu que l'adolescence marque l'apogée du savoir chez un homme, il n'écoutait personne. Et prenait un malin plaisir à se moquer des traditions et des coutumes liées aux croyances de ses contemporains.

Ainsi lui raconta-t-on que, pour bénéficier d'un bienfait, il convenait de couver sous le bras l'œuf d'une poule noire pendant treize jours ! Jehan se prêta au jeu mais, malheureusement, vingt-quatre heures avant de toucher au but, il écrasa l'œuf… Ne voulant pas admettre qu'il s'était montré curieux et qu'en réalité, apparaître comme le gagnant de cette épreuve ne lui aurait pas déplu, il se mit à ricaner davantage.

– Je l'avais bien dit que c'était ridicule !

Chaque année, durant la veillée de Noël, dans les maisons, on se réunissait pour prier. Cette année-là, la famille de Jehan rassembla des voisins. On y alluma un cierge et l'on s'installa. Une chaise resta vide. C'était celle du Bon Dieu ; elle devait impérativement rester inoccupée tant que la bougie n'avait pas été consumée.

Jehan ne se sentait évidemment pas attiré par le recueillement. Pourtant, en ce 24 décembre, une idée liée à Noël lui trottait dans la tête. On lui avait juré qu'une branche d'arbre cueillie à minuit précise la nuit de la Nativité et placée ensuite dans l'eau fleurira à la Chandeleur, le 2 février.

Notre garnement voulut en avoir le cœur net. Quelques minutes avant que ne sonne minuit, il fit irruption dans la pièce où l'on pria encore et il s'empare d'une chaise. Mais pas n'importe laquelle : celle réservée au Bon Dieu ! Bien sûr, autour de lui, ce ne furent que cris et protestations. Mais Jehan ayant pris tout le monde de court par son assurance et sa bêtise, nul ne se montra en mesure de le maîtriser ni de récupérer le précieux siège. Circonstance aggravante : Jehan avait osé y toucher alors que le cierge demeurait allumé !

Le provocateur n'avait évidemment pas choisi la chaise au hasard. Parfaitement conscient que son geste choquait, il se sentait encore plus fort lorsqu'il s'avança dans le verger et choisit un arbre auquel il eut facilement accès. Il monta sur la chaise, tendit le bras droit mais n'eut pas le temps de toucher la moindre branche qu'il se retrouva par terre !

Interloqué et un peu agacé parce que craignant qu'on ne se moqua de lui, Jehan regarda devant, derrière, à droite et à gauche de lui, mais ne vit rien. On avait dû le pousser. Mais où se cachait le coupable ? Vexé, il répéta des gestes banals et… un scénario identique se produisit. Projeté dans l'herbe, Jehan s'énerva. Qui osait ainsi lui tenir tête ? Il cria :

– Dieu ou diable, celui qui me pousse qu'il se laisse voir !

Et il recommença sa gymnastique. Pour la dernière fois. Avant que le jeune homme n'eut atteint la branche qu'il visait, la chaise se brisa en trente-six morceaux. Étendu sur le sol, le téméraire Jehan ne bougea plus. Son cœur avait cessé de battre. Malencontreux accident ou vengeance divine ? Devinez la version pour laquelle on opta dans les alentours !

Louvain

Adrien VI « le Flamand », empoisonné au Vatican ?

Le 1er mars 1459 à Utrecht, alors propriété de l'État bourguignon, naît un petit Adrien au sein d'une famille modeste (le papa est charpentier), les Floris. L'enfant ne bénéficie malheureusement pas longtemps de la protection d'un père en mauvaise santé, qui décède jeune. Seule avec quatre fils, la maman, qui a très tôt décelé les qualités intellectuelles d'Adrien, s'oblige à des sacrifices financiers afin de lui offrir les études dans lesquelles il s'épanouira.

Le 1er juin 1476, le jeune homme entre à l'Université de Louvain (fondée en décembre 1425). Il loge à la « Pédagogie du Porc », une pension que fuient les élèves les plus aisés mais qui constitue une aubaine pour les autres car la soupe et le pain y sont gratuits.

Étudiant doué, Adrien arrive premier de sa classe de Pédagogie des Arts. Tout en enseignant la philosophie, Floriszoon (fils de Floris) bifurque vers la théologie afin d'entrer dans les ordres. En 1490, il décroche brillamment une licence, puis un doctorat. Il expose sa thèse en un latin parfait qui force l'admiration de tous. De tels résultats lui valent, de la part de la ville de Louvain, une récompense appréciée : quarante-huit mesures de vin du Rhin !

Rapidement, son enseignement est recherché. Parallèlement, Adrien prend en charge la cure du Grand Béguinage, rue des Moutons. La vie à Louvain, où il est apprécié, lui plaît beaucoup. Plus tard, il devient doyen de la collégiale Saint-Pierre.

Gagnant des sommes appréciables dans ses diverses activités, Adrien acquiert trois maisons. Se souvenant des années difficiles de ses débuts, il loge des étudiants qui, comme lui autrefois, sont sans le sou.

Régente des Pays-Bas, Marguerite d'Autriche s'intéresse à Adrien dont on lui chante les louanges. Veuve de Philibert de Savoie, chargée de l'éducation des enfants de son frère, Philippe le Beau, lui aussi décédé, elle confie le futur Charles Quint à Floriszoon, notamment. À regrets, Adrien quitte Louvain dont, jusqu'alors, il ne s'était éloigné qu'épisodiquement. Il s'établit à Malines, et sa complicité avec le jeune Charles s'installe rapidement. Elle demeurera longtemps.

Les années ont passé et Adrien a multiplié les missions avant de recevoir la pourpre cardinalice en 1516 à Tortosa, en Catalogne, où il est évêque.

Le 24 janvier 1522, à Vitoria, en Navarre, Adrien apprend que le conclave vient de le nommer pape. Pour lui, il s'agit d'une surprise et pas franchement d'une bonne nouvelle. Âgé de soixante-trois ans et ne possédant pas une très bonne santé, Adrien aspire à une tranquillité dont il ne disposera évidemment pas à Rome.

Pourquoi les cardinaux ont-ils pensé à lui ? Sans doute parce qu'ils espèrent la protection de Charles Quint (qui n'a que vingt-deux ans). Adrien a également fait parler de lui au fil du temps lorsqu'il a occupé le poste d'ambassadeur auprès de Ferdinand le Catholique et quand, à la mort du roi, il a assuré la régence de l'Espagne au côté du cardinal Ximenès. Son caractère fort, sa détermination et ses qualités de meneur d'hommes l'ont donc fait remarquer à diverses reprises.

Les Romains, eux, pensent que cet inconnu va renoncer à la tiare. Ils se trompent. Conscient qu'une telle charge ne se refuse pas, Adrien, qui conserve son prénom – sixième souverain pontife à le porter –, met sept mois à arriver en Italie.

Son intronisation se déroule dans une parfaite indifférence de la part de la population qui se méfie de cet étranger, « ce Flamand », comme disent les Romains ; il aurait d'ailleurs voulu s'installer non pas au Vatican mais dans une modeste pension religieuse. La Curie lui fait comprendre qu'un pape se doit de tenir son rang. Adrien accepte, considérant qu'il s'agit là d'un détail.

Pour le reste, le nouveau venu met en place une politique qui lui attire bon nombre d'ennemis. Il veut que l'Église, et en particulier ceux qui la représentent à Rome, changent leur façon de vivre et en reviennent à l'esprit des Évangiles.

Adrien clame qu'il aime la pauvreté et que les richesses du Vatican le choquent. Son prédécesseur Léon X, un Médicis, entretenait de nombreux artistes à qui il passait moult commandes ; Adrien les chasse. Le même comptait sur un personnel composé d'une bonne cinquantaine de personnes. Adrien en conserve quatre.

Se moquant de son impopularité, il enfonce le clou et estime que les Italiens (dont il parle à peine la langue) sont « des bons à rien ». Moyennant quoi, il fait venir de Flandre deux hommes de confiance, tout aussi efficaces que lui dans les décisions autoritaires.

Adrien se scandalise de la vente par le clergé des indulgences plénières et du rachat des crimes. Effarés, les cardinaux se demandent pourquoi ils ont choisi un tel énergumène ! S'ils ont désigné Adrien, c'est notamment pour répondre aux attaques de Luther (excommunié par Léon X) dirigées contre la Curie romaine. Adrien voudrait sortir de la crise luthérienne. En novembre 1522, il adresse à la Diète de Nuremberg une lettre qui fait frémir à Rome. Il écrit ceci :

« Je déplore comme vous, mes frères, la situation difficile où nous ont amenés les crimes du clergé et la corruption des mœurs des pontifes romains. J'avoue que la confusion qui règne dans l'Église n'est due qu'à la dissolution des ecclésiastiques ; car, depuis quelques années, on ne trouve plus qu'abus, excès et abominations dans l'administration des choses spirituelles ; la contagion a passé de la tête aux membres, des pontifes aux prélats, de ceux-ci aux simples clercs et moines ; de sorte qu'il serait difficile de trouver un seul prêtre qui fût exempt de simonie, de vol et d'adultère.

Cependant, avec l'aide de Dieu, j'espère réformer cet état déplorable et régénérer la cour romaine ; j'en prends l'engagement solennel. Mais le mal est si grand que je ne puis que marcher pas à pas dans la voie de la guérison. »

Peu de temps après avoir signé cette missive, terrible pour le petit monde du Vatican, Adrien VI rendait le dernier soupir. On le savait en mauvaise santé. Mais, surtout, surveillé par ses innombrables ennemis.

En 1883, un historien belge, F.G. Haghe, affirmait :

« Adrien mourut empoisonné, le 14 septembre 1523, et les prêtres, pour exprimer leur joie, suspendirent pendant la nuit des couronnes à la porte du médecin du pape, avec cet écriteau : "Au libérateur de la patrie[1]". »

L'écriteau a été mentionné dans de nombreux ouvrages. Adrien, l'ami de Charles Quint, est-il mort de mort naturelle ou a-t-il été assassiné ? L'énigme demeure. Il reste en tout cas indéniable que la disparition du « Flamand » arrangea beaucoup de monde.

Contemporain d'Adrien, le cardinal Pallavicini ne confirma pas la thèse de l'empoisonnement. Il rendit hommage aux qualités spirituelles du natif d'Utrecht mais ajouta ces mots peut-être lourds de sous-entendus à la lumière des rumeurs de complot :

« C'était un fort médiocre pape car il ne connaissait pas les souplesses de l'art de régner et ne savait pas s'accommoder

1 F.G. Haghe, *Les Papes et la Belgique,* Bibliothèque Gilon, Verviers, 1883.

aux mœurs de la cour romaine ! Un pontife comme celui-là, qui avait oublié le sang et la chair, ne pouvait que mal diriger l'Église. »

Adrien VI fut le dernier pape non italien avant longtemps, très longtemps. Le suivant se fit appeler… Jean-Paul II. C'était en 1978.

Mazée

Le crapaud fait la loi dans les souterrains du château

Durant les années qui suivirent la Révolution française, l'Église catholique vécut des heures particulièrement sombres. À Mazée (aujourd'hui commune de Viroinval, dans la province de Namur, non loin de Givet et, donc, de la frontière française) comme ailleurs, à la fin de 1790, les curés et vicaires furent souvent remplacés par des prêtres constitutionnels qui n'étaient pas très catholiques... Plutôt que de renier sa foi, le brave ecclésiastique en charge de la paroisse de Mazée avait fui. Et laissé la place vacante à un olibrius ne respectant pas grand-chose, et en tout cas pas les croyances et traditions des fidèles qui, les uns après les autres, désertèrent l'église.

Les jeunes gens se mariaient sans administration du sacrement, les enfants n'étaient plus réellement baptisés et les défunts, inhumés avec les seules bénédictions et prières de leurs proches.

Un jour, les villageois se rendirent compte que leur prêtre de pacotille avait disparu. Et, avec lui, les trésors de leur église. Les riches chasubles, étoles, calices, ciboires, missels et crucifix s'étaient eux aussi volatilisés.

– Ce scélérat nous a spoliés ! entendait-on.

Les habitants se montraient furieux et voulaient coincer le coupable. En vain. C'est alors que se mit à circuler une terrible histoire : le diable se serait emparé de l'impie qu'il trouvait grotesque et l'aurait emmené dans les souterrains du château voisin avec les habits et accessoires liturgiques...

Comme ils ne parvenaient pas à repérer la moindre trace du sacripant, les villageois se dirent que les racontars étaient peut-être à prendre au sérieux. Les plus convaincus finirent par contaminer les plus sceptiques… Moyennant quoi une chasse à l'homme et au trésor fut lancée.

Un groupe d'intrépides se glissèrent dans les caves du château. Éblouis, ces hommes assistèrent à un spectacle inouï : les objets en or – les leurs et beaucoup d'autres – empilés sous leurs yeux s'évanouissaient dans le néant dès qu'ils s'en approchaient ! Quant au prêtre de pacotille, il ne fut jamais aperçu. Plusieurs équipées furent organisées. En vain. Le diable laissait la garde des lieux à un horrible crapaud ou, à d'autres occasions, à un bouc noir ou un affreux matou. Le hideux batracien décourageait l'organisation d'excursions punitives.

Pourtant, une fois rétablis dans leurs fonctions, différents ecclésiastiques furent sollicités pour exorciser le souterrain maudit. Peu s'y risquèrent. Feue la revue mensuelle *Le Guetteur wallon*[1] assure qu'à la fin du XIXe siècle encore, un prêtre de Dinant reçut la visite d'une délégation de Mazée afin d'aller déloger Satan de sa cachette. En échange, le curé aurait droit au remboursement de ses frais de déplacement et, mieux encore, à une partie du trésor ! À la grande aventure, il préféra le calme de son presbytère citadin d'où, comme le diable et son crapaud dans leur prétendu logis, il ne bougea point…

---

1 Imprimerie-Papeterie-Éditeur Émile Chantraine, Namur, mars 1929.

Merchtem

Un vrai cadavre et une fausse morte

On raconte que, dans le courant du XIIIe siècle, à Merchtem, commune appartenant aujourd'hui à la province du Brabant flamand, une année, alors que la fête locale battait son plein, l'ambiance changea du tout au tout.

Les spectacles et les jeux s'y succédaient. Un homme en particulier attirait les villageois. C'était un joueur de flûte très doué qui subjuguait les spectateurs. De plus, il attirait de très nombreux jeunes gens en les initiant aux plaisirs de la danse.

Mais, brusquement, une forte pluie d'orage s'abattit sur Merchtem. Promptement, la foule se dispersa, chacun cherchant à s'abriter. Indifférent, le joueur de flûte continua à manier son instrument en sautillant dans les rues. Jusqu'au moment où la foudre s'abattit sur lui et le tua sur le coup.

De nombreux témoins virent le malheureux artiste s'écrouler. Ils ne prirent pas le temps de s'approcher de lui car deux grands chiens noirs se jetèrent immédiatement sur le corps, le malmenèrent au point d'en emporter un bras…

Ses amis arrivèrent tardivement et ne purent qu'organiser un enterrement dans des circonstances très particulières.

Guillaume, le curé de Merchtem, se montra réticent.

– Cette affaire sent l'intervention de Satan !

Et, en ces temps-là, dans les campagnes, on prenait peur à la moindre évocation de Satan.

Faisant fi de ses propres réticences, Guillaume accepta de célébrer une messe en bonne et due forme pour le repos de l'âme du pauvre joueur de flûte. Sans doute parce qu'il était trop tard dans la journée, on n'inhuma pas le défunt le jour même. Le lendemain, le fossoyeur fut-il habité d'un doute ? En tout cas, il ouvrit le cercueil. Il était vide !

Guillaume ne cherche pas plus loin une autre explication :

– C'est le diable qui l'a emmené…

Et, dans le village, on y cru tout aussi vite.

Cette histoire fit évidemment frissonner dans les chaumières de Merchtem.

La suivante, qui date de la même époque, aurait pu, elle aussi, sentir le soufre.

Un jeune homme et une jeune fille étaient amoureux. On les voyait souvent se balader ensemble, se caressant la main ou la joue. Et même davantage car il devient de notoriété publique que ces deux-là étaient amant et maîtresse. On jasa un peu autour d'eux mais la plupart des gens qui les connaissaient pensaient que le mariage ne tarderait plus. Une seule personne était convaincue du contraire : le père de la demoiselle ! Le comportement de sa descendante le scandalisait et le gars qu'elle fréquentait ne lui plaisait pas. Si bien qu'un soir, il convoqua les tourtereaux et leur annonça qu'il ne donnerait jamais son consentement à l'union qu'ils projetaient. Le bonhomme n'avait pas la réputation d'être commode et encore moins de revenir sur les décisions qu'il avait prises. Écrasée par le chagrin, la donzelle – à qui l'on interdit désormais tout contact avec l'homme qu'elle aimait – s'alita et faiblit de jour en jour.

Sa famille l'éloigna de la maison paternelle afin de la changer d'air. C'est en provenance de son lieu de villégiature que la terrible nouvelle parvint aux parents : leur enfant venait de mourir de chagrin.

Le cercueil qu'ils accueillirent chez eux avant de le conduire à l'église fut suivi par une foule assez dense. L'amant ne s'y mêla pas. Tandis que le sacristain actionnait les cloches afin d'annoncer les obsèques, le jeune homme s'éclipsa.

Il revint à Merchtem un peu plus tard et frappa à la porte de ceux qu'il aurait voulu traiter comme des beaux-parents. Il trouva le couple prostré, écrasé par la douleur. Il osa alors lancer :

– Et si je ramenais votre fille à la vie, accepteriez-vous qu'elle devienne mon épouse ?

Le père aurait pu juger la scène totalement incongrue et jeter le farfelu à la porte. Pourtant, il eut envie de croire que cette visite-là incarnait un espoir un peu fou.

– Posséderais-tu ce pouvoir-là ?

– Effectivement…

Et, en quelques minutes, il fit entrer l'élue de son cœur au milieu de la pièce où le papa et la maman fondirent en larmes. De bonheur, cette fois.

Ils éprouvèrent une telle joie que, forcément, ils accordèrent leur bénédiction pour des noces qui furent organisées dans les plus brefs délais.

L'amant avait habilement joué. Le père, tout de même un peu inquieté par les récits sataniques qui émaillaient les veillées, fit discrètement exhumer et ouvrir le cercueil. Il y découvrit une forme humaine mais seulement composée de bouts de bois…

Mons

Quand la chimie déjoue le crime parfait

1819. Ce jour-là, à hauteur du cap de Bonne-Espérance, les passagers de l'*Eurinus-Marinus* croient leur dernière heure arrivée. Le bateau est pris dans une violente tempête et il a très peu de chances de parvenir à bon port.

À bord, une jeune femme enceinte panique parce qu'elle sent que, malgré les circonstances peu favorables, elle va mettre son enfant au monde. Son mari l'assiste comme il le peut. Et, effectivement, le bébé, de sexe masculin, voit le jour alors que les éléments continuent à se déchaîner. Mais, assez bizarrement, dès que le marmot a poussé ses premiers cris, le vent tombe et le navire reprend sa route de façon plus paisible.

Julien, l'heureux papa, est comte de Bocarmé et, en cette année 1819, inspecteur général des domaines en Indonésie. En compagnie de son épouse Ida (à qui Balzac, ami du couple, dédiera *Le Colonel Chabert*), il se rendait à l'île de Java quand le temps a brutalement tourné. Le drame a donc été évité de justesse.

Le petit garçon reçoit le prénom d'Hippolyte et grandit parmi les petits Maltais. Son caractère est plutôt ombrageux. On le dit hypocrite et fourbe. Sa santé semble fragile jusqu'à son adolescence. Il devient alors un solide gaillard, ce qui enchante son père qui décide de renvoyer Ida en Belgique et de partir en compagnie d'Hippolyte à la découverte de l'Amérique.

Les Bocarmé se comportent comme les aventuriers qu'ils sont dans l'âme. Hippolyte développe un vrai mépris des autres, n'excluant pas le recours à la violence. Moyennant quoi, lorsqu'il met le pied en Belgique, terre de ses aïeux, il se sent quelque peu déstabilisé.

Hippolyte éprouve des difficultés à s'adapter à une société dont il ignore beaucoup de choses et à un milieu – l'aristocratie et la haute bourgeoisie – dans lequel être cultivé apparaît comme un grand avantage.

Hippolyte a vingt ans lorsqu'il hérite d'un titre : celui de vicomte Visart de Bocarmé, sire de Bitremont et de Bury (Hainaut). Il a pris possession à Bitremont du château familial dans lequel il cohabite avec sa maman. Jouer au seigneur l'amuse mais, au fil du temps, Hippolyte se rend compte que sa situation n'a rien d'enviable.

Son père, vivant loin de la région de Mons, expédie peu d'argent à son épouse et la fortune de celle-ci s'est épuisée. Les Bocarmé sont obligés d'emprunter afin de faire face à leurs (gros) frais. Hippolyte enrage d'en être réduit à de telles démarches, qu'il juge humiliantes.

Une éclaircie dans ce ciel plutôt sombre apparaît sous les traits de Lydia Fougnies. Hippolyte se souvient de l'avoir croisée un jour et elle lui a fait bonne impression. À ses yeux, Lydia est surtout la fille d'un épicier de Mons que l'on dit fortuné. Elle, son frère et ses parents laissent en tout cas imaginer par leur mode de vie des moyens financiers très appréciables.

Artiste, la demoiselle écrit des romans, compose des poèmes, joue du piano et se débrouille également en peinture. Elle incarne toute la distinction qu'Hippolyte ne possède pas. Lui, le seul domaine qui l'attire, c'est la chimie. À telle enseigne qu'il a consacré une pièce du château à des expériences et des travaux qui le mobilisent de longues heures durant.

On ne sait pas si Lydia Fougnies succombe au charme – pas nécessairement très saillant – de Bocarmé mais, rapidement, on parle de mariage. Lydia se montre visiblement flattée d'accéder à une existence de châtelaine. Les époux ne vont pourtant cesser de déchanter.

Hippolyte s'aperçoit que la dot de la belle n'a rien à voir avec ce qu'il espérait. Voilà à quoi cela rime, de se fier aux apparences ! Il réalise que les évaluations circulant sur la fortune du père Fougnies sont totalement surfaites.

La naissance de deux enfants n'arrange en rien les affaires des Bocarmé car l'argent sort de plus belle mais rentre peu. Hippolyte veut demeurer patient. En fait, il mise sur le décès de son beau-père.

Lorsque celui-ci survient, le jeune homme se croit sauvé. Mais lorsque le notaire ouvre le testament, les Bocarmé reçoivent un véritable coup de massue sur la tête. Ils apprennent en effet que le défunt ne leur a légué que quelques biens et que l'essentiel de l'héritage va à Gustave, le frère de Lydia. Sans doute le papa a-t-il considéré que Gustave, infirme et célibataire, a davantage besoin d'être aidé. Hippolyte a du mal à contenir sa colère. Lydia le soutient, car l'ex-poétesse a beaucoup changé depuis ses noces et subit l'influence de son époux.

Un soir, Hippolyte décide de ne plus y aller par quatre chemins car sa situation s'aggrave. Les huissiers menacent de débarquer et de saisir ce qu'il faudra afin de couvrir les nombreuses dettes qui courent. Un jour, sauf miracle, le château y passera. Alors, Hippolyte affirme à Lydia :

– J'ai bien réfléchi et je ne vois qu'une solution pour que nous puissions en sortir. Il faut supprimer Gustave…

Lydia – qui ainsi héritera – ne sourcille même pas. Elle-même avait envisagé ce scénario sans en parler à quiconque. Elle ne s'y opposera pas car elle ne porte pas particulièrement son frère dans son cœur. Et puis, de toutes les façons, il faut agir, vite et sans scrupules.

Évidemment, pas question de se lancer dans un crime banal aux grosses ficelles, qui expédierait sans traîner les auteurs à la potence. Non, Hippolyte de Bocarmé ne peut sombrer dans le bâclé comme un vulgaire criminel de bas étage. Il s'enferme dans son laboratoire et cogite.

Ce qu'il mijote : éliminer son beau-frère avec le seul poison qui, selon lui, ne laisse aucune trace : la nicotine. Il se fait livrer des centaines de kilos de tabac afin d'obtenir deux flacons de nicotine pure.

Dans le courant de sa préparation, Hippolyte de Bocarmé apprend par Lydia que Gustave est sur le point de se marier ! La nouvelle le rend fébrile car, forcément, elle change tout. En cas de décès de Gustave, ce n'est plus sa sœur mais sa veuve qui empochera le magot. Il y a donc urgence !

Problème à ne pas sous-estimer : Gustave ne possède aucun atome crochu avec Hippolyte dont, en plus, il se méfie. Alors, comment l'attirer au château ? Le 24 novembre 1850, Gustave va passer la bague au doigt d'Antoinette de Dudzeele et il a bien d'autres préoccupations que d'aller saluer Lydia et son mari à leur domicile. Mais, parce que ceux-ci ont lourdement insisté, il finit par accepter. Et se rend à leur invitation à dîner le 18 novembre.

Gustave s'installe à table. Le premier plat n'est pas encore servi qu'Hippolyte saute sur le malheureux qui, handicapé, n'a aucun moyen de défense face à la brute qui l'assaille. Hippolyte lui ouvre la bouche de force et vide l'une après l'autre les deux fioles de nicotine que Lydia vient de lui tendre. Il ne faut pas longtemps pour que Gustave rende le dernier soupir. Lydia de Bocarmé fait verser du vinaigre par ses deux domestiques afin de dissiper la forte odeur de tabac régnant autour du cadavre. Le couple joue plutôt bien la comédie et jure ne rien comprendre au mal qui a si brusquement terrassé « ce pauvre Gustave ».

Des magistrats et un médecin débarquent sur les lieux du décès et ne peuvent que le constater. Il semble on ne peut plus naturel. Aussitôt ouvert, le dossier est sur le point d'être refermé.

Pourtant, *in extremis*, voilà que le juge remarque au poing d'Hippolyte des marques de dents et lui en demande l'origine. Et, bêtement, parce qu'il ne contrôle plus sa jubilation jusqu'alors exclusivement intérieure, le vicomte lâche :

– Ce sera certainement Gustave qui m'aura mordu en se débattant !

Il a à peine prononcé ces mots terribles qu'il les regrette amèrement. Trop tard. Hippolyte fait jaillir chez son interlocuteur un doute qui ne le quittera plus. D'autant que celui-ci s'est souvenu d'une confidence de Gustave :

– Pour avoir de l'argent, Hippolyte serait capable de tout…

Dès lors, l'enquête se poursuit de façon beaucoup plus serrée, avec le concours inattendu de Jean Stas.

Brillant chimiste belge né trente-sept ans plus tôt à Louvain, Jean Stas a suivi des études de médecine dans sa ville natale. Il s'est passionné de bonne heure pour la chimie et débute comme préparateur dans le laboratoire de Jean-Baptiste Van Mons, célèbre pharmacien, chimiste, botaniste et agronome bruxellois.

Stas effectue quelques analyses sur des corps autopsiés. Il verse de la potasse dans une préparation de viscères et distingue une odeur signalant la présence d'un alcaloïde volatil.

Dans le cas de la nicotine, Hippolyte de Bocarmé avait justement vérifié qu'il n'existait pas de réactif à cette matière. Mais voilà que, grâce à Jean Stas, la justice dispose désormais d'une « méthode pour déceler les alcalis organiques dans les empoisonnements ».

Le vicomte de Bocarmé a beau clamer son innocence, dès lors bien difficile à prouver, il est arrêté, emprisonné et condamné à mort. En prison, il tente de soudoyer un gardien. En vain.

Son ultime sortie sera pour l'échafaud installé au centre de Mons. Avant de mourir, il a peut-être entendu intérieurement les paroles stupides qui le perdirent et qui, quelques heures après le meurtre, prouvaient qu'il avait déjà perdu la tête…

Orval

L'anneau de Mathilde n'est pas tombé dans l'eau

1793. Dans la folie meurtrière née lors de la Révolution française, des hordes de sauvages mettent la belle abbaye d'Orval à feu et à sang. Ils emportent tout ce qui, à leurs yeux, revêt de la valeur. Lorsqu'ils s'éloignent de ce site fascinant et mystérieux, les vandales ne laissent derrière eux que des ruines. Au milieu d'elles, une pièce d'eau est demeurée intacte. Et la légende qui s'y rattache circule encore.

Elle trouve ses racines en 1076. À cette époque, les comtes de Chiny, vassaux du duc de Basse-Lotharingie, sont les maîtres d'un territoire équivalent à la Gaume, région du sud de la Belgique.

Cette année-là, une dame encore jeune, vêtue de couleurs sombres, pleure la perte d'un homme qu'elle a follement aimé. C'est la comtesse Mathilde, duchesse de Toscane et tante de Godefroid de Bouillon. Son mari, Godefroid le Bossu, duc de Basse-Lotharingie, est mort, et Mathilde ne s'en remet pas.

Un jour de 1076, elle se rend à Orval, un lieu alors isolé. Six ans plus tôt, des moines venus de Calabre ont débarqué non loin de là, fuyant la guerre civile italienne. Ils ont frappé à la porte de l'archevêque de Trèves qui les a envoyés chez Arnoul II, le comte de Chiny. C'est lui qui a octroyé aux religieux des terres pour construire une abbaye. Ils se sont mis d'emblée au travail.

Au début du XIIe siècle, des chanoines réguliers de Trèves leur succéderont. Puis, enfin, viendront des cisterciens, ordre religieux créé par saint Bernard. C'est d'ailleurs ce dernier qui déléguera quelques hommes à Orval en 1132.

Malgré les obstacles de toutes sortes, épidémies, guerres, pillages, les cisterciens demeureront à Orval jusqu'à la Révolution.

En 1076, donc, la comtesse Mathilde rend visite à ces hommes de bonne volonté. Empreinte de sa mélancolie, elle marche lentement dans les allées de leur propriété. Elle aperçoit une pièce d'eau qu'elle trouve attirante et s'assied sur le bord. Machinalement, Mathilde plonge la main droite dans l'eau et, quelques secondes plus tard, la retire. Elle sursaute et éprouve un pincement au cœur : son anneau en or n'est plus à son doigt ! Elle regarde le sol, au cas où le bijou aurait glissé plus tôt. Mais, hélas !, aucune trace de l'objet. Une seule explication : la bague est tombée dans l'eau. Mathilde se penche le plus qu'elle le peut mais, bien sûr, ne distingue pas grand-chose.

Cette mésaventure peine particulièrement Mathilde. Ce bien constituait l'ultime souvenir de son défunt époux. Désespérée, la comtesse ferme les yeux et prie la Vierge Marie. Quelques instants plus tard, elle assiste, stupéfaite, à un spectacle magique : une truite a bondi de l'eau et tient dans sa gueule le précieux anneau ! La dame attrape évidemment le bijou et, pendant que le poisson disparaît, elle remercie le ciel en s'exclamant :

– Vraiment, c'est ici un val d'or !

La légende ne s'éloigne guère de la réalité, la fontaine en moins…

La comtesse Mathilde, duchesse de Toscane, perd son mari le 26 février 1076. Peu de temps après, elle est, semble-t-il, passée par Orval. Elle y aurait égaré la fameuse bague, l'aurait retrouvée devant l'entrée de l'église de l'abbaye et aurait dit :

– Voici l'or que je cherchais ! Heureuse la vallée qui me l'a rendu ! Désormais et pour toujours, je voudrais qu'on l'appelle : Val d'or.

Dans son ouvrage *Orval, le Val d'Or depuis la nuit des temps*[1], Paul-Christian Grégoire cite un abbé d'Echternach, Jean Bertels qui, en 1595, écrivait ceci :

« Ayant récupéré son anneau, Mathilde toute joyeuse se hâta vers l'oratoire des moines, en rendant grâce au Christ et à sa divine Mère. Ensuite, elle disposa toutes choses avec le comte Arnould pour que ce lieu, ses dépendances et ses limites précises soient irrévocablement donnés aux moines en perpétuelle possession… En outre, la duchesse se montra généreuse envers les moines d'Orval car, avant de s'en aller, elle leur donna une forte somme d'argent pour élever une grande église. De plus, pour leur subsistance, elle leur alloua de larges subsides. »

Mathilde contribua ainsi aux débuts d'une des plus longues histoires monastiques en Belgique. Qui continue.

1 Éditions Serpenoise, 2011.

Ougrée

Une enquête vite terminée

Au début des années 1850, dans la région d'Ougrée et de Sclessin, on jase beaucoup autour de la vie privée de la belle comtesse de Noidans, qui fait tourner les têtes et chavirer les cœurs. On ne compte plus ses amants ; elle en a eu tellement ! Son mari, le comte de Noidans, petit homme insignifiant et mal portant, a bien été plaint. Au début. Mais, avec le temps, son statut de cocu est devenu aussi banal que lui…

En 1854, si les calembredaines de la dame ne suscitent plus énormément de commentaires, elles ne passent pas pour autant inaperçues.

Il est de notoriété publique que l'élu du moment se nomme Jules Louis Joseph Fain, chef de gare de son état, né à Huy le 28 septembre 1828. Régulièrement, on l'aperçoit entrer et sortir de la luxueuse demeure du comte et de la comtesse. Et comme on raconte que la ravissante créature se montre très experte dans les choses de l'amour, Fain suscite forcément des jalousies.

Le 18 juillet dans la nuit, il se dirige d'un bon pas vers la propriété de sa maîtresse quand, le seuil à peine atteint, un individu surgit de derrière un bosquet, se jetant sur lui un poignard à la main. Pris par surprise, le chef de gare ne peut se défendre et décède des suites de plusieurs coups de lame donnés par son agresseur.

Pourtant, le lendemain, à l'aube, ce sont deux corps que l'on retrouve dans un terrain vague du quartier : certes celui de Jules Fain, mais également celui du passeur qui travaillait non loin de là (le pont d'Ougrée n'existait pas).

Les policiers chargés de l'affaire en déduisirent que l'assassin aurait peut-être supprimé un témoin ayant surgi au mauvais moment. Dans les alentours, il se murmura que la comtesse elle-même aurait peut-être bien payé un bandit dans le but de supprimer un amant qui, dans son existence, devenait encombrant.

Des supputations qui ne firent pas l'objet d'une longue enquête. Au contraire. Très vite, il fut décidé en haut lieu que l'on n'ennuierait plus Mme la Comtesse avec un fait divers officiellement sans rapport avec elle. On ne retrouva jamais le coupable de ce double meurtre. Il faut dire qu'on ne le chercha pas bien longtemps…

Pepinster

Ce qui fait bouillir Lamarmite, c'est l'appât du gain !

Nous sommes à la moitié du XVIIIe siècle à Pepinster, où vit la famille Lamarmite, particulièrement considérée. Son véritable patronyme est Watelet mais, parce que l'enseigne de la boutique où Pierre exerce son métier de barbier et de cabaretier arbore une marmite, le surnom a subsisté. Ce dont personne ne s'est avisé très tôt, c'est la richesse disproportionnée des Lamarmite eu égard à l'activité professionnelle de Pierre.

Tout ce que l'on sait officiellement, c'est qu'en dehors d'un travail fixe situé à Pepinster, ces gens-là (le père, la mère, l'un des fils et l'une des filles) partent tour à tour vers des communes proches ou lointaines, afin de se livrer à quelque commerce.

Grâce à cette situation, les Lamarmite se trouvent au centre de bien des conversations car, souvent, ils font office de journalistes, rapportant qui le compte rendu d'une affaire criminelle instruite à Liège, qui le dernier potin croustillant d'un village enfoui au fond des Ardennes.

La femme Lamarmite, comme on dit alors, attire l'attention par son charme, sa grande bonté, son souci de l'autre et son instruction. Elle sait en effet écrire, ce qui ne court pas les chemins faisant office de rues. Et, cerise sur ce joli et savoureux gâteau pour les bien-pensants, son frère a voué sa vie à Dieu. Pas de doute, cette dame ne peut inspirer que le respect !

À l'époque où les Lamarmite prospèrent, une bande de malfaiteurs rôde dans la région et multiplie les atrocités.

Lorsque ces brigands veulent s'emparer d'objets de valeur, pour réaliser leurs noirs desseins, ils n'hésitent pas à tuer.

Ainsi en 1750, à Verviers, le crime de la veuve Collet plonge-t-il la ville dans l'émoi. La vieille dame, habitant rue de Heusy, se cloîtrait chez elle, n'ouvrant la porte qu'à sa nièce. Un jour, elle fait pourtant exception pour la femme Lamarmite qui a réussi à l'apprivoiser en lui vendant une babiole à bon prix. À chaque fois qu'elle passe par Verviers, l'épouse de Pierre réserve une visite à la veuve Collet, qui s'en réjouit.

Mais un matin, sa nièce, n'ayant pas de nouvelles de sa tante, se rend rue de Heusy et découvre la pauvre femme baignant dans son sang. Autour d'elle, il ne reste plus grand-chose…

Dans le même temps, à Liège, le meurtre d'un prêtre effraie la population. Une autre tragédie surgit à Bois-de-Breux où un fermier, Gilles Bay, et son épouse sont sauvagement assassinés. Seul un très jeune enfant a été épargné.

Le hasard, ou ce qui en tient lieu, va permettre à la justice d'obtenir des résultats et de remonter d'autres pistes.

Un soir, un jeune homme s'arrête à Pepinster. Il vient d'effectuer un long trajet à pied et cherche un endroit pour se rassasier et se reposer. La localité étant petite, il aboutit forcément chez les Lamarmite, où Pierre le reçoit. Malheureusement, il ne reste aucune chambre de libre.

– J'en ai bien une, ajoute-t-il, mais elle doit être rangée, nous y avons entreposé des tas de choses dans un parfait désordre. Le lit, lui, pourra vous convenir.

Épuisé, le garçon ne se montre évidemment pas difficile et accepte la proposition. Il n'a le temps ni de déballer son baluchon ni de fermer l'œil car, très vite, il reconnaît autour de lui des objets qui lui sont très familiers. Le voyageur s'appelle en effet Martin Bay et il revient de garnison à Luxembourg. Avec l'infinie douleur que l'on devine, il a appris le drame qui a frappé ses parents et il regagne Bois-de-Breux afin, notamment, de régler leur succession. Or, en quelques minutes, Martin comprend que son chemin l'a mené chez les assassins de son père et de sa mère. Alors qu'il aurait pu seulement s'agir de receleurs. Martin n'y songe même pas ; une évidence s'est imposée à lui. Il s'enfuit par la fenêtre et court chez le mayeur de Theux qui, dans un premier temps, ne dissimule pas son scepticisme. Il faut croire que la conviction de Martin ne souffre pas longtemps la contradiction car, très vite, des hommes se mettent en route en direction de la maison de Pierre Lamarmite. Ils interrogent celui-ci qui, déstabilisé car n'ayant pas imaginé un instant être coincé aussi bêtement, se défend mal. Sans conviction, il jure qu'il tient le contenu de la chambre brièvement occupée par Martin d'un vagabond croisé récemment.

Ses arguments ne tiennent pas. Et, en quelques semaines, sa culpabilité s'impose dans diverses affaires criminelles ayant défrayé la chronique. Soumis à la torture, Pierre Lamarmite et son fils avouent l'ensemble de leurs crimes. Le cerveau de toutes ces abominations, c'était la femme Lamarmite. Elle usait de son charme et de l'empathie qu'elle manifestait, surtout auprès des personnes isolées. Une fois la confiance gagnée, elle organisait ses très mauvais coups en indiquant à Pierre et à leurs grands enfants comment et où sévir.

Emprisonnés et condamnés à mort, Pierre Lamarmite et son rejeton sont traînés sur la chaussée reliant Liège à Aix-la-Chapelle, rompus vifs et roués. Terrible spectacle applaudi par des badauds, certes cruels, mais surtout rassurés de voir ainsi bien des cauchemars désormais enfouis dans le passé.

La femme et la fille de Pierre Watelet, dit Lamarmite, ont échappé aux mailles du filet au moment où Martin Bay a mis fin à leurs terribles équipées. La seconde tombera finalement après avoir commis d'autres délits et sera exécutée dans le Brabant hollandais.

Quant à la première, elle parviendra à s'éclipser sans laisser la moindre trace. En réalité, elle s'est cachée dans les Ardennes où elle a épousé un certain Payot, à qui elle a bien pris soin de ne rien révéler de ses méfaits et de son identité.

Un jour pourtant, voulant récupérer des joyaux mis en gage à Verviers chez un marchand répondant au nom de Thisquen, elle se trahit. Elle a demandé à Payot, dont un frère demeure à Verviers, de se rendre chez Thisquen où une véritable fortune l'attend depuis de très longs mois. Mais la dame ignore que les joyaux en question ont été identifiés comme provenant du vol commis chez la veuve Collet. La police a donné ordre à Thisquen de ne pas céder la moindre pièce. Celui-ci tergiverse tellement longtemps que Payot ne peut plus attendre et doit rentrer dans les Ardennes.

Dans les jours qui suivent, les forces de l'ordre, qui ont suivi la trace de Payot qu'elles croient évidemment coupable, se présentent à son domicile et tombent sur… la femme Lamarmite ! Paniquée, celle-ci se dénonce par son attitude, courant à toutes jambes vers la forêt où elle se terre. Pas longtemps. Lancé à sa recherche, un molosse la maîtrise avant qu'elle ne soit cueillie, puis vouée au même sort que ses complices. On put alors mettre définitivement le couvercle sur la tristement célèbre marmite de Pepinster.

Quarreux

Le rêve du meunier et l'or des paysans

L'histoire se déroule il y a plusieurs siècles de cela. Hubert Chefneux est le plus heureux des hommes. En tout cas le croit-il. Il vit dans le Fond de Quarreux où il exerce le métier de meunier. Marié à Catherine qui lui a donné de beaux enfants, Hubert se contente de son sort qui, certains jours pourtant, aurait de quoi le contrarier. Son moulin ne lui fournit pas en permanence suffisamment d'eau. Pour remédier à cette situation préjudiciable, il faudrait qu'Hubert puisse entamer de gros travaux. Mais il n'en possède pas les moyens financiers.

Son seul espoir tient dans un héritage qui lui est promis. Il sait en effet que les biens de son oncle établi à Warfusée, en Hesbaye, lui reviendront. Mais ne souhaitant de mal à personne, et encore moins à un membre de sa famille, Hubert Chefneux n'y pense guère.

Un matin pourtant, il apprend la triste nouvelle : le frère de sa mère vient de rendre le dernier soupir à Warfusée. Il lui faut s'y rendre afin de remplir les formalités qui lui apporteront la richesse. Vêtu de son plus bel habit, Hubert dit au revoir aux siens car il va lui falloir de longues heures avant d'arriver à destination puis revenir à la maison.

Sur place, Chefneux déchante rapidement car il comprend que ses beaux rêves s'envolent. En calculant ce qu'il doit laisser au seigneur de l'endroit et donner à l'église pour l'organisation des funérailles, Hubert parvient à une petite somme ridicule eu égard au coût des travaux conséquents envisagés au moulin.

Le retour de ce déplacement ô combien décevant semble pénible pour Hubert qui, dès lors, ne voit pas comment il pourrait améliorer son ordinaire. Subitement, il ne se considère plus comme un homme heureux et en veut même à son défunt parent de ne s'être pas montré plus économe.

Perturbé, Hubert se perd en chemin, doit demander sa route et, en effectuant un détour, tombe sur un superbe moulin à vent. Il n'a jamais rien vu d'aussi beau. Admiratif, il questionne le propriétaire sur ses affaires et son rendement. Et repart encore plus meurtri. Décidément, non, Chefneux n'est vraiment plus heureux! Ah! si cet oncle qu'il serait prêt à maudire lui avait laissé suffisamment d'argent! Lui aussi serait sur le point de se retrouver à la tête d'une entreprise florissante. Mais voilà: Hubert va renouer avec les nombreux soucis de son petit moulin en proie à des caprices contre lesquels il ne peut rien.

Plongé dans des pensées pessimistes, Hubert se laisse surprendre par la tombée de la nuit. Puis il croise un homme coiffé d'un chapeau à larges bords, richement habillé, qui, après l'avoir salué, se félicite que le destin lui ait désigné un compagnon de route. Chemin faisant, les deux hommes se présentent. L'inconnu, maître maçon de Liège, se rend à un rendez-vous. Hubert raconte ses récentes déconvenues et la découverte du moulin à vent. Le bonhomme semble bien connaître ce type d'engin dont il loue les innombrables performances en comparaison des moulins à eau comme celui avec lequel Hubert travaille depuis de si longues années.

Chefneux se confie:

– Je serais prêt à de gros sacrifices pour obtenir une situation comme celle de mon voisin de Hesbaye.

– Vraiment? interroge l'autre.

Alors, celui-ci lui parle de ses rapports avec le diable.

– Je n'ai pas hésité à lui vendre mon âme contre une vie très confortable.

Hubert se retient de se signer. Mais sa curiosité demeure la plus forte.

– Et vous n'avez pas peur ? demande-t-il.

– Peur de quoi ? Nous autres gens de la ville, nous ne réfléchissons pas comme vous, gens de la campagne. Moi, par exemple, je refuse de me laisser dominer par les superstitions. Entre nous, la vie éternelle, le paradis, l'enfer, moi, je m'en moque un peu ! Ce que je vise, c'est mon bien-être ici-bas.

En bavardant, Hubert ne s'aperçoit pas qu'il se trouve à hauteur du Champ des sorcières, un endroit lugubre sur lequel il se murmure bien des choses inquiétantes. Les sorcières s'y réuniraient régulièrement à minuit et exécuteraient des danses sataniques, notamment.

L'homme au chapeau précise que, dans sept jours exactement, à minuit, il sera de passage au même endroit. Et ajoute :

– Si vous pensez que je puis vous être utile dans la réalisation de vos rêves, n'hésitez pas !

La semaine qui suit est déterminante. Hubert Chefneux rencontre l'un de ses copains qui abonde dans le sens d'un pacte avec Satan, la seule solution à ses yeux pour améliorer la vie de pauvres bougres comme eux deux. Lui aussi a signé et ne s'en porte pas plus mal. Tout au fond de lui, Hubert doit savoir qu'il s'apprête à ne plus se trouver en accord avec ses croyances car, en compagnie de son ami, il se saoule. Catherine le remarque. Et, par la suite, observe chez son mari des comportements qui l'inquiètent. Une nuit qu'elle dort mal, elle surprend Hubert en train de parler dans son sommeil. Il dit :

– Monsieur Belzébuth, en échange du moulin à vent et de la belle maison que vous voulez bien me construire, n'exigez pas mon âme plus de cent ans... C'est déjà si long !

Catherine soupçonnait un arrangement de la sorte. Le lendemain, elle en a une nouvelle confirmation. Sans qu'il s'en rende compte, elle suit Hubert à un rendez-vous nocturne. Catherine voit et entend un personnage mystérieux tout de noir vêtu énoncer les termes d'un contrat. En contrepartie de l'âme d'Hubert, il s'engage à faire bâtir un moulin à vent et une maison. En trois nuits, ses sbires auront achevé le travail. Si, à l'issue de la dernière nuit, au chant du coq, le moulin ne tourne pas, il démolira le tout et le pacte sera annulé.

Fidèle à l'image qu'il avait eue en revenant de Hesbaye, Hubert a choisi le haut de la plus haute colline voisine pour faire ériger son moulin.

Le scénario établi entre Hubert et le diable – car l'autre soir, dans la pénombre, il ne pouvait s'agir que de lui – est scrupuleusement respecté.

L'aube va poindre quand Hubert contemple son nouveau domaine au côté de son récent ami qui affiche une évidente satisfaction. Le coq chante une fois, deux fois, trois fois et... le moulin demeure immobile. Satan éructe. Et ordonne la destruction de son œuvre. Les blocs de pierre dégringolent et vont échouer au fond de l'Amblève.

Hubert se montre tétanisé par le spectacle. Et bouleversé lorsque, au milieu des ruines du moulin, il découvre sa femme. C'est elle qui, de son corps, a empêché les ailes du moulin de tourner. Pour sauver l'âme d'Hubert, elle y a laissé la vie.

La légende prétend que ces blocs de pierre atterrissant dans l'Amblève seraient à l'origine des Fonds de Quarreux.

À proximité, deux puits de mine rappellent une autre histoire, sans doute plus proche de la réalité.

En 1802, ou en tout cas ou tout début du XIXe siècle, trois paysans de Remouchamps (aujourd'hui village de la commune d'Aywaille) qui, par la tradition orale, savaient depuis longtemps que le sol contenait des trésors le fouillèrent et tombèrent sur une mine d'or.

Cette formidable aventure est racontée en quelques lignes dans un livre paru en 1839[1].

« Il y a quelque trente ans que des paysans des environs de Quarreux firent des fouilles pour la recherche de ce métal précieux. Ayant apporté des échantillons de leurs trouvailles à M. Desmoussaux, alors préfet du département de l'Ourthe, ce magistrat leur répondit que leurs efforts étaient sans doute très louables, mais qu'il vaudrait mieux encore s'en tenir à la culture des pommes de terre. Tous les associés de la Heid de la mine d'or suivirent-ils ce trivial et prosaïque conseil ? C'est ce que nous n'oserions affirmer, car l'un d'eux est aujourd'hui presque millionnaire. »

Des hommes de chez nous, qui furent travailleurs, honnêtes, pas du tout pris au sérieux… et discrets jusque dans leur façon de passer à la postérité.

1 Jean Pierre Paul Bovy, *Promenades historiques dans le pays de Liège*, tome 2, Liège, Imprimerie de P.J. Collardin, Libraire Imprimeur de l'Université.

Ramioul

La trahison du garde-manger

Célibataire endurci, Ernest exerce la profession d'huissier à Ramioul (aujourd'hui faisant partie de la commune de Flémalle). Il semble paisible et satisfait de son existence. Ernest voue l'essentiel de son temps à son travail. Au fil des années, il a constitué un joli pactole dont il ne profite guère car, chez lui, Ernest vit plutôt chichement. Mais il s'en trouve bien, très bien même.

Jusqu'au jour où il apprend la mort de Joseph, l'un de ses amis les plus chers habitant près de Namur. Joseph offrait avec lui plus d'un point commun. Près de ses sous, il avait acquis une grande maison dans laquelle il errait seul. Prenant de l'âge, Joseph avait connu quelques pépins de santé. Un jour, il loupa une marche en descendant à la cave – à moins qu'il n'ait été pris d'un étourdissement –, se cogna violemment la tête contre un mur et mourut dans les heures qui suivirent la chute.

On raconta que si quelqu'un avait été présent dans sa demeure, il aurait pu secourir Joseph et, vraisemblablement, le sauver.

Cette tragédie taraude Ernest, qui pense avec effroi qu'il pourrait également finir de la sorte. Et, pour la première fois, il songe au mariage. Jusqu'alors, l'idée ne lui a même pas effleuré l'esprit. D'abord parce qu'il ne s'est jamais intéressé aux femmes. Ensuite, et surtout, parce qu'il a toujours considéré une union matrimoniale comme un risque de grosses dépenses. Donc, Ernest s'est fermé de façon presque automatique à tout projet conjugal.

Évidemment, comme il change d'avis, il lui faut maintenant approcher la gent féminine et trouver l'âme sœur, bien que ce ne soit pas la motivation première d'Ernest. Ce qu'il cherche, ce n'est pas une communion d'esprit mais une compagne ne lui posant pas de problème. Et, on l'aura compris, ne lui coûtant pas cher. Ernest se moque bien de l'âge et du physique ; il veut une sorte de gardienne qui veillera sur lui. Romantiques, s'abstenir !

Dire que la tâche est facile serait mentir. Ernest doit d'ailleurs recourir aux services de Jacques, un greffier avec qui il s'entend bien dans les affaires. Ce jeune homme connaît une demoiselle prénommée Marie. Il présente Ernest à la famille et, dès lors, un accord est assez rapidement conclu.

Le jour de la noce, Ernest se montre un rien crispé car il s'aventure en terre totalement inconnue. Lui, marié ! Quand il se regarde dans la glace avant de se rendre à l'église, il ricanerait presque.

Mais au fur et à mesure que les heures s'égrènent, Ernest se détend. Non seulement il n'a pas dû débourser un sou pour le repas mais, en plus, il constate que son épouse n'a presque rien avalé. Et quand il demande à Marie si elle ne lui cache pas une quelconque maladie, elle le rassure en lui affirmant :

– Je n'ai pas un gros appétit.

Ernest ne pouvait rêver plus beau discours et plus beau cadeau de mariage !

Durant les semaines suivantes, Ernest découvre en Marie une sorte d'idéal qu'il n'avait osé imaginer. La dame ne jette jamais le moindre vêtement sans l'avoir usé jusqu'à la corde et ne réclame rien de neuf. Elle tient la maison avec rigueur, faisant preuve d'une excellente organisation. Et continue à picorer comme un moineau. C'est en tout cas ce qu'elle laisse croire à son mari afin de lui plaire et d'avoir la paix.

Car, lorsque Ernest s'absente, la charmante Marie se goinfre et sort donc de l'argent sans que le grippe-sou l'apprenne.

Pourtant, un jour, maladroitement, Marie plonge son couple dans des moments dramatiques. La veille au soir, le garde-manger était rempli, principalement par un monumental ragoût de mouton. À l'aube, il n'en reste plus rien !

Constatant ce qui pour lui prend des allures de catastrophe, Ernest est à deux doigts de prévenir la police afin de faire constater un vol. Paniquée, Marie n'a plus qu'une solution : avouer !

– Je me suis relevée au début de la nuit et j'ai tout mangé…

Se sentant trahi et réalisant qu'il loge sous son toit une sorte de glouton, l'huissier devient rouge et éructe. Ses yeux se fixent méchamment sur Marie en répétant :

– Tout ! Tout !

Puis, victime d'un malaise, il s'écroule sur le pavé de la cuisine. Les heures qui suivent n'apportent aucune amélioration à l'état de notre avare qui, de temps à autre, sort de sa torpeur pour dire à nouveau :

– Tout ! Tout !

Tant et si bien que le notaire qui, comme le curé, a été appelé au chevet du malade comprend qu'Ernest lègue la totalité de ses biens à son épouse !

Le testament n'a pas été modifié lorsque, un peu plus tard, Ernest rend le dernier soupir sans avoir eu une explication avec Marie.

Celle-ci hérite d'une situation financière plutôt confortable. Et, un délai décent écoulé, elle deviendra la femme de Jacques, le charmant garçon qui, une première fois, lui avait permis de changer de vie.

Saint-Hubert

Un homme qui a voyagé presque autant mort que vivant

Un jeune aristocrate, très bien de sa personne, marié à Floribane, qu'il délaisse, mène une vie dissolue non seulement en Aquitaine, dont il est originaire, mais également dans diverses régions où il aime se rendre. En Ardenne, par exemple. Hubert, ainsi se prénomme-t-il, y a lancé un matin d'automne une partie de chasse. Il s'élance à la poursuite du gibier sur un sol durci par les premiers gels quand, à l'entrée d'une clairière, son cheval se cabre. Devant lui, un cerf dégage une lumière très vive donnant l'impression d'un soleil d'été, d'autant qu'un crucifix scintille au centre de ses bois. Hubert met pied à terre, subjugué par ce qu'il voit. Venant d'on ne sait où, une voix grave s'adresse à lui.

– Hubert, Hubert, mon fils, tu fais fausse route ! Ton salut, tu ne le trouveras que dans la prière et la mortification.

Puis le même interlocuteur mystérieux lui apprend une terrible nouvelle :

– En cet instant même, ta femme rend le dernier soupir tellement elle a été malheureuse. Il te reste un fils qui, lui aussi, est gagné par le diable. Il faut te repentir afin de sauver son âme tout autant que la tienne.

Hubert ne doute pas une seconde qu'il doit donner un tout autre sens à sa vie. Il retourne chez lui se recueillir sur la tombe de Floribane et cesse de se perdre dans les plaisirs faciles. Il s'occupe de l'éducation de son fils, qu'il ramène dans le droit chemin. Trois ans se sont écoulés depuis ce jour où son existence a basculé quelque part dans les

Ardennes. Cet endroit deviendra La Converserie, sur la route de La Roche.

Hubert décide de repartir en direction des terres où il s'est converti. Il devient un disciple de Lambert, l'évêque de Liège auquel il succédera à la suite d'un séjour à Rome. À ce moment-là, dans son sommeil, le pape distingue nettement un ange lui indiquant qu'il trouvera le nouveau pasteur de Liège en la personne d'un pèlerin en prière dans l'église Saint-Pierre. Dès son réveil, le souverain pontife s'y précipite et tombe sur Hubert !

Celui-ci réalise un formidable travail d'évangélisation et on commence à constater autour de lui de véritables miracles. Ainsi prête-t-on à Hubert le pouvoir de vaincre la rage. Un jeune homme, mordu par un chien malade, entre dans une église où Hubert se recueille ; il en sort guéri.

L'origine de la venue de saint Hubert dans nos régions est mentionnée dans un autre récit d'autrefois.

Un jour de Noël, Hubert chasse le cerf dans les alentours de Tongres. Ses hommes lui parlent d'une bête exceptionnelle offrant une blancheur particulièrement lumineuse. On n'a jamais vu cela ! Hubert brûle d'impatience et galope en direction du cerf, qu'il effraie. L'animal se réfugie dans un ermitage. Hubert s'y engouffre. Un homme le met en garde.

– Monseigneur, écoutez mes paroles qui sont celles d'un sage. Aujourd'hui, c'est fête de dévotion et non de carnage. Faites pénitence et priez le Très-Haut, sinon il vous arrivera malheur !

Hubert hausse les épaules. Il a dégainé son épée, qu'il pointe en direction du cerf tremblant dans un coin.

Le mot « malheur » a à peine résonné qu'Hubert se trouve ébloui par une croix lumineuse venant d'apparaître entre les bois de la bête. À genoux, l'ermite rend grâce au ciel et, dans la seconde, Hubert agit de même. Et le jure : désormais, il sera un digne fils de Dieu !

Mettons un peu d'ordre dans ces jolies histoires.

Hubert a bien vu le jour dans la noblesse d'Aquitaine et, s'il s'est rendu par la suite en Ardenne, il n'a rencontré aucun cerf magique ; cet épisode-là a été emprunté à la vie de saint Eustache. Hubert, qui perdit sa femme jeune, avait bien un fils, Floribert, qui d'ailleurs sera, comme lui, évêque de Liège. Dans la lignée de Lambert qui le forma, Hubert combattit le paganisme tout en se mettant au service des Liégeois. Énorme tâche à laquelle il se voua sans compter. Hubert mourut le 30 mai 737. Selon sa volonté, il fut enterré à Liège, dans l'église Saint-Pierre qu'il avait fait construire. En moins de dix ans, Hubert fut canonisé et, de ce fait, suscita de nombreux pèlerinages.

En 825, les moines de l'abbaye d'Andage (future Saint-Hubert) négocièrent avec Walcaud, évêque de Liège, le transfert du corps du grand homme. Accord fut pris et, à leur arrivée dans les Ardennes, les religieux constatèrent à quel point les reliques, transportées dans un sarcophage, se trouvaient en parfait état.

En 883, les Normands pillaient et incendiaient les abbayes de nos contrées. Par prudence, la communauté d'Andage transporta saint Hubert dans l'une de ses propriétés, le domaine de Paliseul. Bon calcul car, lorsque la paix revint, Hubert put tranquillement effectuer le voyage du retour.

En 1097, à l'occasion d'une négociation difficile avec Otbert, évêque de Liège, les moines d'Andage se rendirent avec la châsse du saint à Mirwart, un village voisin. La procession tourna pourtant au pugilat et Otbert chercha à voler les reliques qui, *in fine*, rejoignirent son lieu de repos. Qui ne fut plus perturbé pendant près de cinq cents ans.

Le 20 janvier 1525, un incendie de grande ampleur endommagea Saint-Hubert et son abbaye. Petit miracle : les restes du protecteur de l'endroit demeurèrent intacts. La nouvelle église fut rapidement la cible de bandits. Des huguenots français pillèrent et brûlèrent en partie l'abbaye. Une fois encore, *in extremis*, le corps d'Hubert fut sauvé et placé en lieu sûr, à Mirwart.

Une longue période de troubles n'épargna pas Saint-Hubert. Afin de ne faire courir aucun risque aux restes du saint, le père abbé les cacha à l'intérieur de l'abbaye. Et ne partagea le secret qu'avec deux personnes.

À la suite de la Révolution française, les moines prirent la fuite. Leur supérieur, Nicolas Spirlet, mourut à Montjoie, en Allemagne.

Est-ce de ce côté qu'il faut chercher saint Hubert ? Il s'agit d'une des pistes données par Jean-Luc Duvivier de Fortemps dans l'ouvrage qu'il a consacré à cette énigme[1]. L'un des deux moines qui avaient accompagné le père Spirlet dans son exil aurait avoué qu'il ignorait où avait été déposé le corps de leur saint patron, ajoutant que, si l'on se référait à une tradition, il aurait été enterré « dans un caveau situé au côté nord de l'abbatiale ».

Celui-ci pourrait aussi être dissimulé quelque part à Reinhardstein (Hautes-Fagnes) où Dom Spirlet marqua une pause dans son ultime déplacement. Pourquoi pas aussi au château de Bure (en Famenne), ancienne résidence des abbés de Saint-Hubert, quasiment intégralement détruit par un incendie en 1938 ? Ou à celui de Mirwart ? Ou bien alors dans la basilique Saint-Hubert où de très nombreux fidèles, parfois venus de loin, continuent à se recueillir devant un tombeau… vide ? L'énigme demeure…

---

1 *À la recherche du corps perdu de saint Hubert*, Éditions Weyrich, 2009.

Sivry

« Suis-moi, quelqu'un est en train de mourir... »

Ce soir-là (vers 1674) comme à peu près tous les autres, Jean Godimus se couche à vingt-deux heures après avoir avalé et digéré un solide repas ainsi que récité quelques prières, agenouillé sur son prie-Dieu. Le curé de Sivry (aujourd'hui dans la province de Hainaut) est un homme d'habitudes. La tête sur l'oreiller, il sombre assez vite dans un premier sommeil, quand il croit percevoir une voix. Comme celle-ci insiste, l'ecclésiastique finit par se réveiller et entendre distinctement un appel. Il s'extirpe de son lit, ouvre la fenêtre et distingue une lueur trouant l'obscurité de la nuit.

– Jean Godimus, tu dois venir ! Munis-toi du viatique, des saintes huiles et suis-moi. Quelqu'un est en train de mourir...

– Mais qui est là ? demande le prêtre.

Pas de réponse. Le curé sort tout de même de chez lui. Il ne voit personne. Seule une sorte de lanterne virevolte devant lui comme si elle invitait Godimus à le suivre. Le sentier emprunté mène à l'église. L'abbé passe sur sa soutane un surplis et une étole, ouvre la porte du tabernacle, prend une hostie dans le ciboire, la dépose dans une petite boîte conçue à cet effet, attrape un missel, referme la porte et revient vers la source lumineuse qui, sans un mot, se déplace très rapidement.

Jean Godimus marche à vive allure, comme s'il était transporté par une force invisible. Il connaît certes la région mais il n'a jamais parcouru la nuit ces chemins qu'il a presque l'impression de survoler.

Arrivé au bois de Martinsart, il est guidé jusqu'à un homme couché sur le sol, baignant partiellement dans son sang. L'inconnu a été grièvement blessé au flanc droit. Jean Godimus confesse l'inconnu, lui demande le nom de celui qui l'a touché mortellement – car il ne fait aucun doute que ce malheureux va rapidement passer de vie à trépas. Quelques borborygmes ne suffisent pas à Jean Godimus pour comprendre ce que le moribond tente peut-être de lui confier. Celui-ci communie une dernière fois, reçoit l'extrême-onction au milieu des prières récitées par l'abbé. Puis ferme les yeux à jamais.

La voix, qui s'était tue pendant tout ce temps, surgit dans un silence plutôt pesant.

– Merci, Jean Godimus, tu viens de sauver une âme…

Et, dans la foulée, la lumière incite le curé à effectuer le trajet du retour. Accompagné de la sorte jusqu'à la porte du presbytère de Sivry, Jean reste frappé par le spectacle qu'il a vu et la manière dont il y a été amené.

Le lendemain matin, craignant d'avoir été victime d'un cauchemar ou d'une hallucination, il demande à des représentants de l'ordre de se rendre au bois de Martinsart. Où, conformément aux indications de l'abbé, ils trouvent bien un cadavre pour lequel une messe de Requiem sera célébrée au village.

Jean Godimus, qui étudia la théologie à Louvain, fut effectivement curé de Sivry, et ce, entre 1674 et 1726. On ne sait comment l'histoire extraordinaire circulant à son sujet a pu naître. Mais, à la fin du XIXe siècle, il paraît que la plupart des gens qui l'écoutaient y croyaient encore dur comme fer…

Theux

Un inconnu sauvé de justesse face aux loups-garous

À l'aube du XIe siècle, Guidon d'Amblève s'est installé avec sa famille au château de Franchimont (aujourd'hui sur la commune de Theux). Dans la région, on craint ce haut personnage qui n'a jamais fourni beaucoup d'efforts pour se rendre sympathique.

Homme rustre, le seigneur de Franchimont se montre également un guerrier redoutable à qui, jusqu'à présent, rien n'a résisté. Craint parce que belliqueux et puissant, personne n'a l'inconscience d'aller le provoquer.

Le seul qui, de temps à autre, se permette de lui tenir un discours de sagesse et de raison s'appelle Poppon, le chapelain. Mais il a beau rappeler à Guidon que Dieu demeure le maître de l'univers, Guidon hausse les épaules. Sans l'exprimer clairement, au fond de lui, il se sent même supérieur à Dieu !

Un soir, un jeune inconnu frappe à la porte du château. On le reçoit, on lui offre le gîte et le couvert. Et on l'écoute.

– Je suis le neveu de l'ermite Aubert, de Bolland, et vous suis bien reconnaissant de m'accueillir dans vos murs où je me sens enfin en sécurité. Car je viens de passer par des moments terribles…

Pour Guidon et ses amis, il en dit trop ou pas suffisamment. On l'invite à se montrer plus disert.

– En fait, j'effectue un pèlerinage à la place de mon oncle. Je dois aller à Lierneux afin d'y prier devant les reliques de saint Symètre et saint André. J'ai reçu des mains d'Aubert deux médailles à l'effigie de ces saints ainsi que sa bénédiction. Celle-ci était sensée me garder de tout danger durant mon voyage. Ce qui fut le cas jusqu'à ce que j'arrive à l'orée de la Forêt des Hêtres... J'aurais dû me méfier...

– De qui ? ricane Guidon.

– De créatures diaboliques qui vivent dans ce bois et se manifestent essentiellement le vendredi. C'est justement un vendredi que je m'y suis trouvé... On m'avait dit qu'il fallait absolument éviter le carrefour de Becco. Un grand chien venu de je ne sais où avait l'air de m'avoir pris sous sa protection. Il me léchait les mains et semblait me guider dans l'obscurité. Sauf qu'il a brutalement disparu et que je me suis rendu compte que j'avais abouti... dans ce maudit carrefour de Becco !

Encore visiblement sous le choc, le malheureux a du mal à avancer dans son récit.

– Et alors ? interroge Guidon. Que t'est-il arrivé de si terrible ?

– Le sol a tremblé, des cris stridents ont percé mes oreilles et, face à moi, a surgi Gorr, le roi des loups, le mangeur d'hommes, entouré d'une meute qui a entamé une danse macabre. Ces horribles bêtes formaient un cercle qui, au fur et à mesure de leur spectacle, se refermait sur moi... J'en étais étourdi, au bord de l'évanouissement, quand j'ai eu l'idée de brandir les médailles de saint Symètre et saint André en adressant une supplique à Dieu. Et, en quelques instants, mes assaillants s'étaient évaporés ! Ainsi ai-je pu poursuivre ma route. J'étais toujours inquiet, craignant que ces monstres ne soient cachés dans quelque coin du bois pour m'attaquer... Mais heureusement, bientôt, j'ai aperçu le château de Franchimont et, grâce à vous, j'ai pu m'y réfugier...

Autour du visiteur, les mines sont graves. Mais Guidon, lui, s'esclaffe.

– Tu m'as bien diverti ! Cette Forêt des Hêtres, je l'ai battue des centaines de fois. Si des loups-garous y habitaient, je les aurais forcément repérés ! Et ce prétendu roi, il serait venu se frotter à moi, et je lui aurais évidemment réglé son compte. Ce n'est quand même pas un loup qui me fait peur. Non, crois-moi, tu as dû être victime d'hallucinations !

Comme l'autre insiste et que l'entourage du seigneur de Franchimont se montre on ne peut plus prudent par rapport à l'histoire qu'il vient d'entendre, Guidon se sent vexé.

– Vous me faites tous rigoler ! Je vais aller les défier, ces sales bêtes !

L'épouse de Guidon le supplie de se calmer. Poppon se joint à elle. Évidemment, Guidon n'écoute personne. Il accepte seulement que Réginard, son fils, puisse l'accompagner, chacun sur son cheval. Le cadet emporte la médaille de saint Éloi que Poppon lui a remise.

Très vite, Réginard se rend compte qu'il se passe quelque chose de bizarre dans la Forêt des Hêtres. Et après de longues minutes de silence, Guidon finit par en convenir.

Brusquement, le sol tremble, des cris de plus en plus aigus retentissent, une odeur nauséabonde étouffe progressivement les deux cavaliers. Réginard appelle son père, qu'il ne voit plus et qui ne répond plus. Il a le réflexe de serrer au creux de sa main droite la médaille de saint Éloi. Puis… le trou noir. Dès les premières lueurs de l'aube, Réginard se réveille, couché sur le sol, à côté de son cheval, et peut ainsi reprendre le chemin de Franchimont.

Guidon, quant à lui, demeura introuvable. Par la suite, on mit la main sur son épée ébréchée au milieu de taches de sang et d'un tas d'os qui en disaient sans doute long sur son sort…

Profondément bouleversé par cette tragédie, Réginard quitta le pays pour la Terre sainte. Avant de s'éloigner à jamais, il fit don de ses propriétés, et notamment le marquisat de Franchimont, à Baldéric II, le prince-évêque de Liège. C'était en 1014.

Et là où il avait été miraculeusement sauvé, Réginard fit élever une chapelle dédiée à saint Éloi.

Ce saint Éloi a vécu chez nous. Celui que l'on évoque dans la chanson bien connue sur le roi Dagobert qui mit sa culotte à l'envers est né en 590 et mort en 660.

Il fut, entre autres, un influent conseiller de Dagobert Ier et évêque de Noyon-Tournai. Dans ce cadre, il voyagea en Flandre et dans la région d'Anvers dans le but de les évangéliser. Ses sermons étaient souvent mal perçus par les hérétiques, qui voulurent en finir avec ce dérangeant personnage en l'assassinant purement et simplement !

Prévenu, Éloi put s'organiser et continuer sa mission durant laquelle il rencontra de plus en plus d'hommes et de femmes dotés de meilleures intentions à son égard…

Thisnes

L'idée de la girouette tourne à la discorde

Abdomère, l'instituteur, et Klam, l'ancien fabricant de cierges, se promènent un soir sans mot dire dans la campagne des environs de Thisnes (à côté d'Hannut). Bizarre, ce mutisme, car ces deux-là étaient jusqu'ici les meilleurs amis du monde et avaient toujours mille choses à se raconter.

S'ils se taisent, c'est qu'un peu plus tôt, ils se sont disputés au conseil communal du village. Cause de leur querelle : une girouette !

Cette girouette, Klam voulait qu'elle fût placée sur le toit de la maison communale. Et Abdomère a ricané, précisant qu'il trouvait l'idée idiote !

Durant la balade vespérale, l'un des compères desserre enfin les dents pour reparler… de la girouette !

Klam, un petit homme nerveux, explique que, depuis bien des années, il ne se passe rien dans le village et que l'apparition d'une girouette plaira et fera causer.

Abdomère, un gros bonhomme tirant sur sa pipe, hausse les épaules. Et répète qu'il juge cette initiative inintéressante.

Le vent soufflant de plus en plus fort emporte subitement le chapeau d'Abdomère qui doit courir pour le rattraper. Lorsque Klam le rejoint, il lance en plaisantant :

– D'un temps pareil, imagine comme la girouette tournerait !

Mais Abdomère, bien essoufflé, ne rit pas et riposte :

– Que le diable vous emporte, toi et ta girouette !

À peine a-t-il prononcé ces mots qu'à son tour, le couvre-chef de Klam est enlevé par une bourrasque. Le propriétaire de l'objet en voie de disparition trotte à travers champs puis, poussé par le vent, trébuche, se relève, zigzague en percevant en écho les rires de son compagnon.

Tout à coup, Abdomère devient blême ; il ne voit plus Klam. Tout en avançant, il crie plusieurs fois le prénom de son camarade mais se rend compte que le bruit de la tempête couvre celui de sa voix.

Au bout de très longues minutes d'angoisse, Abdomère s'arrête au bord d'un puits du fond duquel monte une vague rumeur plaintive. Il finit par comprendre que, voulant récupérer son chapeau, Klam y a basculé.

Abdomère se retrouve confronté à un véritable drame. Seul, il se montre bien incapable de sauver son ami. Et le temps qu'il aille chercher de l'aide, il sera sans doute trop tard.

Bouleversé, il prend le chemin de Thisnes, qui ne lui a jamais paru aussi long. Le malheureux marche aussi rapidement qu'il le peut mais, vite fatigué, il doit s'asseoir régulièrement. À la première personne qu'il rencontre, il se montre incapable d'exprimer clairement son angoisse. Recouvrant à peu près ses esprits, Abdomère explique où le pauvre Klam demeure bloqué.

Extirpé péniblement du puits, la victime a les jambes et les bras fracturés ainsi que les côtes défoncées. Terriblement affaibli, il meurt au bout de trois jours de grandes souffrances.

Alité lui aussi, Abdomère n'en mène pas large. Lorsqu'il apprend le décès de son ami, il pleure abondamment. Ventripotent de longue date, Abdomère maigrit à vue d'œil. Il ne mange plus. Les petits plats concoctés par son épouse, sur lesquels il se ruait encore voici une semaine, le laissent indifférent.

En face du lit dans lequel Abdomère passe ses journées, un meuble en chêne massif occupe une place considérable sans pour autant atteindre le plafond. Un soir, alors qu'Abdomère a les yeux fixés sur l'armoire, son teint devient d'une blancheur inhabituelle. Ses dents commencent à claquer, son front puis son torse sont baignés de sueur, son cœur bat très fort… Rassemblant ses dernières forces, l'instituteur lève le bras droit. Et se frotte les yeux afin de s'assurer qu'il est bien éveillé. Ce qu'il voit le glace d'effroi : Klam se détache du dessus de l'armoire et se dirige vers lui. Il arbore un sourire ironique au milieu d'un visage en sang, c'est-à-dire dans l'état où on l'a retiré du puits, les vêtements souillés par la chute. Il tend vers Abdomère un index vengeur et accusateur :

– Traître ! entend claquer le malade dans la chambre.

Puis laissant Abdomère craindre les pires malheurs, Klam le regarde, la mine sadique, savourant la frayeur que son apparition cause à son dernier compagnon de promenade. Subitement, il lance sur un ton implacable et lourd de sous-entendus :

– Je veux ma girouette !

Après quoi, en un quart de seconde, il s'éclipse dans les ténèbres.

Mais les jours suivants, Klam se manifeste à nouveau, réitérant son exigence.

Ne parvenant plus à fermer l'œil, Abdomère appelle au secours le curé de Thisnes à qui il relate son ultime soirée avec Klam, ne manquant pas de préciser qu'à un moment, excédé, il a lancé : « Que le diable vous emporte, toi et ta girouette ! » Pour le pauvre vieux, il ne fait aucun doute que cette exhortation et le calvaire qu'il subit actuellement sont liés. Abdomère se sent pleinement responsable de la mort de Klam qui, maintenant, se venge…

L'ecclésiastique, qui ne croit nullement aux histoires de revenants, tente de calmer l'instituteur. En vain.

À telle enseigne que l'épouse d'Abdomère prend la situation en main. Craignant pour la vie de son mari, elle s'adresse au bourgmestre, résume la situation avant de proposer :

– Et si on donnait satisfaction à Klam ?

Abdomère juge l'idée excellente. Il voit là la seule solution pour renouer avec la tranquillité. Pourtant, le conseil communal ne partage pas cet avis. La plupart de ses membres pensent qu'Abdomère perd la tête. Et la majorité, qui, emmenée par lui voici peu, a voté contre l'installation de la girouette, ne comprend pas pourquoi elle se prononcerait aujourd'hui dans un sens totalement opposé.

Abdomère use de toute son influence afin que la girouette fasse désormais partie du quotidien de Thisnes. Les débats longs et animés aboutissent à un compromis. Finalement, la girouette sera commandée et placée sur le toit de la maison communale.

Abdomère se sent un peu mieux, d'autant que, durant les préparatifs et les travaux, le fantôme de Klam ne perturbe plus sa convalescence.

Les semaines ont passé. Abdomère, de santé fragile, n'a toujours pas mis le pied dehors. Une nuit, un grincement anormal l'empêche de dormir. Comme personne ne réagit, hébété, l'instituteur sort de chez lui afin d'intervenir. Il ne se rend même pas compte qu'il a pour seuls vêtements un caleçon et un bonnet de nuit… Il se retrouve vite devant la maison communale et constate que la girouette est responsable de cet inadmissible tapage nocturne. Subitement, Abdomère se rend compte aussi qu'on lui a caché que cette maudite girouette a été fabriquée à l'effigie de Klam ! Cet être fragile perd carrément la raison. Il se procure une échelle, grimpe à hauteur du toit, rampe comme il le peut, se hisse vers la girouette qu'il empoigne à sa base dans le but de la faire tomber. Il y a bien une chute de la girouette mais elle entraîne celle d'Abdomère. Quelques mètres plus bas, le pitoyable ami de Klam gît sur le pavé, tué par son imprudence. Le doigt de fer de la girouette, représentant celui de Klam, lui a transpercé la gorge…

Tiège

Les Templiers et le duc de Limbourg tombent dans un guet-apens

1775. La ferme du Vieux-Tiège (Tiège se situe à côté de Spa) connaîtra-t-elle de nouveaux jours heureux? Difficile à envisager après la mort de deux des membres de la famille Melchior. Leur disparition brutale demeure inexpliquée. Impuissants face au drame, les médecins se sont contentés de dire à Jean-Toussaint Melchior :

– Tu dois irriguer ton champ afin que les eaux sales puissent s'écouler. Sinon, tu risques de continuer à attirer la maladie…

Dans le village, les commentaires vont bon train. Il se trouve évidemment quelques personnes pour approuver les hommes de science. Mais la plupart, guère instruits, ont du mal à admettre cette version des faits. En fait, le seul coupable de cette tragédie, ce serait… l'Esprit !

Même si d'aucuns rient plus ou moins ouvertement dès que l'on parle de l'Esprit, dans l'ensemble, il y a comme un malaise qui s'installe. Car ce n'est pas la première fois que cet Esprit sème la terreur dans la population.

Son origine remonte loin, au XIIIe siècle. Le duc de Limbourg, Waleran IV, avait été ravi de voir arriver sur ses terres une délégation du prestigieux ordre des Templiers. Et afin de se mettre bien avec ces chevaliers, il leur avait cédé le manoir du Vieux-Tiège. Des alliés aussi puissants ne pouvaient se négliger.

Au mois de novembre 1279, le duc de Limbourg chassait avec plusieurs de ses vassaux. De Grand-Rechain, où ils avaient fixé leur principale résidence dans le duché, les Templiers déléguèrent deux d'entre eux pour accueillir Waleran au Vieux-Tiège. L'obscurité ayant déjà envahi les chemins, les Templiers invitèrent le duc et ses compagnons à passer la nuit dans leurs murs.

La séduisante proposition n'eut même pas le temps d'être discutée. Brusquement, de l'extérieur, d'étranges visiteurs se firent entendre par des bruits de chevaux et d'armures. Qui étaient-ils ? On affirmera plus tard qu'il s'agissait de Brabançons. Ou bien de brigands de grand chemin non identifiés.

Les Limbourgeois se montraient prêts à se défendre. Les Templiers indiquèrent à Waleran un souterrain qui lui permettrait de fuir. Ce qu'il fit sans se faire prier.

Le lendemain matin, la communauté des Templiers de Rechain trouva l'absence des frères anormale et dépêcha des émissaires sur place. Ils ne purent que constater que leurs amis avaient été assassinés.

Quant à Waleran IV, on ne sut jamais ce qu'il était devenu. On le chercha dans le souterrain et au-dehors ; il avait disparu sans laisser la moindre trace.

Par la suite, on chuchota que son ombre était parfois aperçue autour du Vieux-Tiège. Le fantôme de Waleran faisait frémir car on le disait toujours assoiffé de vengeance et sans pitié.

Des manifestations bizarres se sont ainsi multipliées dans la propriété du Vieux-Tiège. Parfois, venant du grenier, on percevait des gémissements, des bruits de chaînes qu'on traîne ou des pas de gens pressés. Des portes claquaient violemment alors qu'il n'y avait personne, et pas un souffle d'air.

Le temps a passé. Les Melchior jouent à ceux qui ne remarquent rien. Ou presque. Ils ont fini par cohabiter avec certaines perturbations mystérieuses. Paysans taciturnes, ils ont sans doute admis qu'il valait mieux ne pas parler de « ces choses-là » afin de ne pas contrarier le diable, les démons ou une quelconque puissance occulte.

Pourtant, ils ont commencé à s'inquiéter quand, sans raison, des vaches sont tombées malades puis sont mortes dans les prairies entourant la maison.

Ensuite, deux décès tout aussi bizarres ont réellement traumatisé la famille et les voisins. En plein été, un oncle et une tante vivant avec Jean-Toussaint ont rendu le dernier soupir. Certes, ils avaient largement passé le cap des soixante ans, ce qui n'était pas nécessairement courant à la fin du XVIIIe siècle. Néanmoins, jusqu'à leurs ultimes jours, l'un et l'autre affichaient une bonne santé.

Un matin, un violent orage a éclaté et, lorsqu'il s'est dissipé, le tonnerre a continué à gronder. Y compris lorsque le ciel est redevenu bleu et que le soleil y a percé...

Et à l'intérieur du Vieux-Tiège, un tapage à l'origine mystérieuse a gêné considérablement les habitants. C'est à partir de ce moment que l'état physique de l'oncle et de la tante s'est dégradé de façon spectaculaire.

Peu de temps après la célébration des obsèques, ce double drame suscite de vives discussions sous le toit des Toussaint. Elles ont été lancées par Pierre Durand, un voisin cultivateur, fort en gueule, qui n'en peut plus d'écouter ce qu'il considère comme des sornettes.

Il y a là également trois copains de Jean-Toussaint, ainsi que son épouse qui sert à boire. Durand se montre le plus agité de la bande.

– Vous faites pitié ! Combien de temps allez-vous vous laisser gâcher l'existence par des racontars de vieilles femmes ayant perdu la tête ? Il faut en finir !

– En finir ? enchaîne Jean-Toussaint Melchior. Je voudrais bien, mais comment ?

– Je prends tous les paris que quelqu'un se moque de nous !

– Tu as peut-être raison, Pierre. Mais comment le savoir ?

– J'ai la solution.

Les autres sont évidemment suspendus à ses lèvres. Ménageant ses effets, il observe cinq secondes de silence puis explique.

– Il faut monter dans le grenier. Ainsi en aurons-nous le cœur net. Je prétends que nous attraperons le coupable.

Nouveau petit arrêt, puis :

– Qui vient avec moi ?

Les têtes se baissent. Mutisme général. Finalement brisé par la femme de Jean-Toussaint.

– Je suis de l'avis de Pierre. Nous n'en pouvons plus de vivre dans l'angoisse. Nous devons savoir…

Melchior se rallie à son tour à la proposition de Pierre. Et après lui, les deux derniers qui, toutefois, boivent un bon coup avant de donner leur réponse…

À l'exception de Pierre Durand, ils ont préféré s'armer, l'un d'une faux, l'autre d'une fourche, le troisième d'un bâton ferré. Durand porte le chandelier. Le groupe monte au donjon. Les quatre hommes s'arrêtent dans une grande salle carrée, meublée pour le moins sommairement ; seule une table massive garnit la pièce.

Ce soir-là, un vent de tempête souffle et, sur le toit, les girouettes tournent en émettant un grincement sinistre.

Dans le grenier, Jean-Toussaint entasse des oignons, des semences, du blé et des pommes de terre. À la seule lueur des bougies, difficile d'éviter les obstacles. Les gars manquent de s'étaler. Et, subitement, ils entendent du bruit venant de par-dessus leur tête. Pas de doute : quelqu'un marche sur le toit ! Et il doit traîner de la ferraille…

Contrairement à ses compagnons, Durand conserve son sang-froid.

– Courage ! Nous touchons au but !

À cet instant, un chat-huant se met à crier. Et comme si cela ne suffisait pas, un violent orage éclate.

Il n'en faut pas davantage pour que les dents claquent... On ne sait lequel des trouillards crie :

– Fuyons !

D'autant que, dans la foulée, un autre insiste :

– Redescendons ! Vite !

Durand ordonne :

– Du calme !

En vain. Au premier éclair qui projette brusquement une lumière crue sur le quatuor, c'est la débandade.

Pierre Durand se sent bien isolé quand un rire ironique et très sonore le fait sursauter.

– Qui êtes-vous ? Où êtes-vous ? interroge-t-il.

– Ha, ha, ha !

– Répondez ! s'énerve Pierre.

– Ha, ha, ha !

Dans la pénombre, Pierre avance à l'aveuglette. Il enrage.

– Si vous n'êtes pas un lâche, montrez-vous !

Dans la seconde, Pierre reçoit une gifle d'une telle violence qu'il vacille. Néanmoins, une bougie est demeurée allumée. Plus tard, Pierre jurera :

– J'ai vu une forme blanche s'éloigner...

Blessé à l'arcade sourcilière droite, qui saigne, Durand éprouve un sentiment qu'il ignorait jusque-là : la peur. La tête lui tourne, le froid s'empare de ce pauvre bonhomme traumatisé. Qui s'effondre sur le plancher.

En bas, pendant plusieurs heures, on tremble et on guette Pierre, qui ne revient pas. Personne n'ose s'aventurer vers le grenier. Sauf Marie-Élisabeth, épouse de Pierre, qui le découvre endormi. Elle le réveille doucement, le serre dans les bras et l'aide à se relever. Car Pierre en a bien besoin. Terriblement affaibli, comme s'il était malade, Durand se traîne jusqu'à son domicile où il garde le lit pendant deux semaines. Il se remet lentement de cette nuit maléfique qui continue à l'obséder. D'ailleurs, en six mois, ses cheveux noirs sont devenus tout blancs…

Autrefois si bavard, le cultivateur n'ouvre plus guère la bouche. Il n'a jamais raconté dans le détail ce qu'il a vécu au Vieux-Tiège, sinon par bribes et morceaux, et jamais de son plein gré.

Alertée par les voisins, la justice s'intéresse de près à cette affaire, qu'elle trouve pour le moins curieuse. Mais à chaque fois qu'on le pousse à approfondir son témoignage, Pierre répète :

– Cela ne servira à rien…

Les enquêteurs continuent leur travail et jamais ne sont confrontés aux mêmes phénomènes que ceux ayant marqué Pierre à vie. Celui-là même qui affirmera des années plus tard à ses petits-enfants :

– Il ne faut pas se moquer des fantômes car ils sont parmi nous…

Tournai

Une broche de perles

Il y a longtemps, Cécile, l'une des filles du comte de Flandre, jouait divinement de la harpe. Dès que son père organisait une soirée, elle enchantait les invités par ses dons. Malheureusement, elle fut mariée au seigneur Géraud le Batailleur, un homme rustre et sans aucun goût pour les arts.

Dès le début de leur union, il ordonna que l'instrument de musique soit expédié dans un grenier et oublié. À ses yeux, une femme digne de ce nom devait s'occuper de son époux, de sa maison et rien d'autre. N'ayant pas le choix, Cécile obéit.

Deux années se passèrent ainsi, dans la monotonie d'une vie conjugale sans musique, ni harmonie d'ailleurs.

Cécile put enfin sortir de son domaine à l'occasion du mariage de sa sœur Wilhelmine avec un duc espagnol.

La fête était particulièrement joyeuse, en partie grâce aux nombreux artistes qui s'y produisaient. Jongleurs, dresseurs d'animaux et musiciens se succédaient dans une suite de spectacles très réussis.

Aldéric, charmant baladin jouant habilement de la viole, était de ceux qui régalaient les yeux et les oreilles. À diverses reprises, il s'approcha de Cécile, pour laquelle il improvisa quelques mesures. La jeune femme en fut émue aux larmes. Une réaction qui fit entrer le mari dans une rage tellement folle qu'un peu plus tard, il poignarda Cécile ! Qui décéda presque aussitôt.

Sombre crapule, Géraud maquilla son ignominie et lança ses hommes à la poursuite d'Aldéric. Celui-ci avait compris qu'il lui fallait fuir vite et loin afin d'échapper à l'assassin de Cécile.

Au fil de ses voyages lointains, Aldéric fut reçu dans diverses cours royales, où il interpréta la partition que lui avait inspirée la grâce de Cécile. Partout, il suscita une forte émotion.

Par la suite, le jeune homme apprit que Géraud était mort aux Croisades. Il reprit donc sans crainte le chemin de Gand puis de Tournai, où il savait que Cécile avait eu droit à une statue de marbre blanc. Elle y était représentée portant de riches vêtements, parée de ses plus beaux bijoux et tenant une harpe.

Aldéric chanta devant la statue comme si Cécile était encore vivante. Il s'était à peine tu que la dame figurée par le sculpteur s'anima et lui tendit une broche de perles avant de se figer à nouveau. La scène dura une poignée de secondes. Ébloui par ce qu'il venait de vivre, le garçon était encore sur son nuage quand des hommes d'armes l'aperçurent et l'entourèrent. Interrogeant l'artiste sur l'origine de ce qu'il gardait dans la main, ils conclurent à un vol.

– La preuve, dirent-ils : la broche ne figure plus sur la statue !

Traîné devant un tribunal, Aldéric n'avait pas grands arguments à avancer pour sa défense. Quand il expliquait sa version des faits, on lui riait évidemment au nez.

Son serment répété, « Je jure que je suis innocent », crié du fond de son cachot, n'était entendu par personne.

Condamné à mort, il attendait son dernier jour, résigné. L'homme chargé du sale boulot lui demanda pourtant s'il avait un vœu – raisonnable – qui pourrait être exaucé.

– Je voudrais me rendre devant la statue de Cécile et chanter une dernière fois, répondit Aldéric.

Il y fut conduit sous bonne garde. La nouvelle avait rapidement circulé à Tournai. C'est donc devant une foule nombreuse qu'Aldéric entonna la chanson dédiée à Cécile. Dès les premières notes, les yeux de la statue bougèrent doucement, des larmes coulèrent et, en tombant sur le pavé, se transformèrent en perles !

De nombreuses personnes – y compris le bourreau – en furent bouleversées.

Aldéric, à genoux devant Cécile, se tourna vers ses gardes.

– Vous voyez bien que j'avais raison…

La justice en convint. Et, jusqu'à son dernier souffle, Aldéric ne cessa de chanter et de jouer de la musique en l'honneur de la seule femme qu'il aimât jamais.

Trazegnies

Sauvé par l'amour

Gillion de Trazegnies voit la vie en rose. Il vient d'épouser Mahaud d'Ostrevent à Avesnes (aujourd'hui commune du département français du Pas-de-Calais) et, après la fête célébrant le mariage, il emmène la belle chez lui, dans son château du Hainaut appartenant alors au duché de Brabant.

Les tourtereaux imaginent l'avenir avec de nombreux enfants, et notamment un héritier mâle assurant la descendance de la famille. Celui-ci tardant à venir, tout comme la première grossesse de Mahaud, Gillion prie afin que le ciel exauce son vœu le plus cher. Un jour, il ajoute que dès que sa femme sera enceinte, il se rendra en Terre sainte afin d'y remercier Dieu.

Lorsque Mahaud lui annonce qu'elle va être maman, Gillion explose de joie. Il n'a aucune preuve que le ventre de sa bien-aimée abrite un garçon mais, comme il en a le très fort pressentiment, Gillion respecte son engagement et se prépare au départ pour son grand voyage.

Le pèlerinage à Jérusalem se déroule on ne peut mieux. Gillion de Trazegnies prie avec une grande ferveur, tout empreint du bonheur de sa future paternité.

Hélas, le retour vers ses terres se trouve brutalement interrompu. Sans avoir pu se battre, Gillion est fait prisonnier par des opposants à la chrétienté et emmené non loin du Caire. Il va être passé par les armes quand Graciane, la fille du chef, tombe sous le charme de Gillion. Elle plaide brillamment sa cause auprès de son père, qui accepte d'épargner le beau jeune homme. Désormais, celui-ci servira dans son armée. Il fera mieux que cela. Durant une bataille, il sauvera la vie de son nouveau maître. Le sort s'acharnant, notre vaillant soldat connaît la prison à Tripoli. Mais il en sort indemne. Il apprend alors de sa bouche que Graciane a profité de son absence pour se convertir. La demoiselle l'avoue à Gillion : elle ne veut plus être séparée de lui !

Pareille déclaration trouble doublement le seigneur de Trazegnies, pas insensible au charme de Graciane. Il sait ce qu'il lui doit. Mais cet homme marié ne peut pour autant oublier Mahaud et son enfant.

Peu de temps après sa libération, Gillion reçoit la visite d'Amaury, proche de Mahaud.

Cet Amaury raconte qu'il a mis un point d'honneur à retrouver Gillion car il a juré à Mahaud qu'il lui porterait la terrible nouvelle... Peu de temps après avoir accouché d'un petit garçon mort-né, la malheureuse s'est éteinte à son tour.

Amaury ne reverra pas sa région natale ; il sera tué sur la route.

Meurtri par le récit qu'il a entendu, Gillion se console dans les bras de Graciane, qu'il finit par épouser. Le couple coule des jours paisibles loin d'un passé qui les a tellement fait souffrir.

Une petite vingtaine d'années s'est estompée depuis le départ de Gillion pour la Terre sainte. Un jour, deux jeunes cavaliers sont surpris sur la route de la Terre sainte, criant :

– Trazegnies ! Trazegnies !

Des amis de Gillion, connaissant ce nom, les interceptent et les mènent vers lui...

Les inconnus se présentent. Ils sont ses fils, des jumeaux nés peu après le départ de leur père vers Jérusalem. Une fois adultes, ils ont voulu partir dans la même direction.

Gillion confronte ces informations avec celles transmises par Amaury et réalise que le messager lui a menti : Mahaud se porte à merveille ! En fait, le plan d'Amaury n'a pu être exécuté. Il voulait éloigner à jamais le sire de Trazegnies, affirmer à Mahaud, en rentrant, que son époux avait été assassiné et, ainsi, convoler avec la veuve…

Mais voilà Gillion bigame malgré lui ! Il se rend à Rome et, en compagnie de Graciane, expose sa situation au pape. Celui-ci manifeste une grande compréhension à l'égard de Gillion, dont on ne peut douter de la bonne foi. Le souverain pontife encourage le Hennuyer à revoir Mahaud sans rejeter Graciane.

À Trazegnies, l'amour triomphe. Les deux femmes font parler le cœur et la raison. Comprenant qu'il serait cruel d'ordonner à Gillion de choisir entre elles, les dames se retirent dans une abbaye. Elles optent pour celle de l'Olive, récemment ouverte dans la région. Quant à Gillion, après un séjour dans un ermitage, il se remet en selle et rejoint son second beau-père pour qui il continuera à se battre. Il mourra à des milliers de kilomètres des deux ravissantes créatures qu'il avait aimées. Pourtant, son cœur fut ramené sur les terres de Trazegnies et placé dans le tombeau déjà occupé par Mahaud et Graciane.

Dans son ouvrage *Abbayes et monastères de Belgique*[1], Édouard Michel écrit à propos de l'abbaye de l'Olive :

« Nous ne mentionnerons qu'en passant les ruines de cette abbaye de Cisterciennes, fondée au XIIIe siècle (avant 1233) ; elles se trouvent à un kilomètre environ au N.O. de Mariemont (ligne de Charleroi à La Louvière). »

Et il achève sa notice par ces mots : « C'est peut-être à l'abbaye de l'Olive que se rattache la légende de sœur Béatrice qui abandonna le monastère pendant plusieurs années et

1 G. Van Oest & Cie, Éditeurs, 1923.

fut remplacée par la Vierge, et aussi celle du Sire de Trazegnies et de ses deux femmes. »

Un mot sur cette Béatrice. Elle avait rejoint l'abbaye de l'Olive où elle occupait le poste de sacristine et avait la responsabilité des clefs du monastère. Mais Béatrice ne se sentait plus bien au milieu des autres sœurs. Elle regardait de plus en plus souvent avec envie les beaux jeunes gens que, parfois, elle voyait passer, et rêvait d'une autre vie.

Béatrice prit la fuite et se laissa courtiser et aimer par les hommes qui ne résistaient pas à son charme.

Quelle ne fut pas sa surprise quand elle apprit que son travail et sa dévotion étaient cités en exemple à l'abbaye de l'Olive ! Profondément troublée, elle voulut en savoir davantage et revint vers le monastère qu'elle avait déserté. C'est là que la Vierge lui apparut et lui expliqua que, durant toute son absence, elle avait elle-même assuré son service. Mais elle était prête à rendre à Béatrice ses clefs et sa place. La jeune femme n'hésita pas une seconde. Elle rentra dans le rang. À jamais.

Béatrice, peut-être sans réel rapport avec la légende, a été béatifiée et a fait l'objet d'un véritable culte dans le Hainaut.

Trois-Ponts

Un inconnu dans la chambre à coucher

Un matin d'automne 1832, dans le village de Bodeux (Trois-Ponts). Pierre Nihon, un homme en pleine force de l'âge, prend son petit déjeuner chez lui, dans la cuisine. Il n'a pas terminé son repas quand il entend clairement du bruit venant du premier étage, plus précisément d'une chambre réservée à des amis ou à des parents de passage.

Pierre monte les marches quatre à quatre, ouvre brutalement la porte et tombe nez à nez avec un jeune gars ayant autour de vingt-cinq ans. Celui-ci se tient debout devant le miroir, bizarrement habillé d'un sarrau comme l'on n'en voit plus, d'une culotte courte et de chaussettes montant jusqu'aux genoux. Mais ce qui attire peut-être davantage encore le regard, c'est son chapeau un rien ridicule, orné de trois cornes !

Pierre Nihon prend peur. À ses yeux, l'étranger ne peut avoir fait irruption à son domicile que porté par de noirs desseins. Pierre court chercher du secours et, très vite, avec l'aide de voisins, il s'empare de l'inconnu qui prend des mauvais coups. Celui-ci bredouille quelques mots.

– Mais... Mais... Qui ?... Comment ?...

Pierre et sa petite bande ont résolu de conduire l'individu chez le bourgmestre. Néanmoins, juste avant d'y parvenir, le prisonnier s'effondre dans la rue. Emporté sur une civière, il finit par ouvrir les yeux. Il regarde autour de lui et demande où il se trouve. Le bourgmestre de Bodeux se présente et lui explique la situation.

– Je ne comprends pas, s'énerve l'intrus. Pourquoi m'a-t-on jeté de mon domicile ? J'exige qu'on appelle mon père sur-le-champ !

– Votre père ? interroge le bourgmestre en levant les sourcils. Mais qui est-ce ?

– Robert Warion, le censier du baron de Rahier, répond l'autre comme si cela allait de soi.

Le curé, qui a rejoint la petite assemblée, murmure à son voisin :

– La famille Warion a été riche et influente. Mais elle ne compte plus de descendants directs depuis plus de cinquante ans...

Le bourgmestre poursuit une conversation qui, très vite, va devenir bien étrange.

– Quel est votre prénom ?

– Balthazar.

Un court silence, puis, le plus naturellement du monde, il raconte.

– Hier, nous étions dimanche...

– Dimanche ? interpelle Pierre Nihon, qui visiblement ne se réfère pas au même calendrier.

– Oui, continue Balthazar, le dimanche 16 octobre 1752.

Ses auditeurs sont à ce point hallucinés par son assurance qu'ils s'observent furtivement sans prononcer une parole.

– Je suis parti d'ici le matin afin d'aller voir ma fiancée, Toinette Gérard, qui demeure au hameau de La Vaux. Je me souviens avoir croisé un mendiant à qui je n'ai rien donné. Environ dix heures plus tard, après avoir vécu de délicieux moments en compagnie de Toinette, je me suis décidé à rentrer. Et, sur la même route, peut-être d'ailleurs au même endroit que lors de l'aller, je suis à nouveau tombé sur ce vieillard qui m'a tendu la main. Comme j'ai adopté une réaction identique, il m'a tenu un discours confus. Il serait revenu au pays après avoir voyagé sur des mers lointaines.

Avant de mourir, il voulait absolument retrouver une femme qu'il aimait encore et qui, sur le point de rendre le dernier soupir, l'attendait. Je n'ai prêté aucune attention à ces racontars et ai pressé le pas. Mais un peu plus tard, brusquement, sans que je comprenne comment il avait pu surgir devant moi, je me suis heurté à ce bonhomme, cette fois très menaçant. J'ai trébuché et ai été projeté dans le ravin. Je ne pourrais vous dire comment j'ai regagné la maison. Une bonne âme m'a-t-elle découvert gisant et m'a-t-elle transporté ? Possible… Il reste que ce matin, je me sentais plutôt bien lorsque ce monsieur (il montre Pierre Nihon) a fait irruption dans ma chambre et y a introduit ces gens (il les désigne d'un doigt vengeur) ne me voulant que du mal.

Non loin de Pierre Nihon s'est assis Remacle Wergifosse. Malgré son grand âge – plus de nonante ans –, il a toute sa tête. Et a gardé une excellente mémoire. Il avait près de dix ans lorsque Robert Warion, qu'il a connu, a constaté la disparition de son fils. Longtemps, dans le village, on s'est perdu en conjectures au sujet de cette mystérieuse affaire. Mais Balthazar s'était éclipsé sans laisser la moindre trace.

Remacle Wergifosse est plongé dans ses pensées quand, pour on ne sait quelle raison, l'énigmatique visiteur pousse un cri d'épouvante et s'écrase sur le sol, face contre terre. Lorsque Pierre Nihon et ses amis le relèvent, ils manquent de lâcher le corps, se rendant compte que celui-ci s'est transformé. En quelques secondes, Balthazar a été réduit à l'état de cadavre. Et, à la stupeur générale, il offre l'aspect d'un homme centenaire. L'espace d'une courte matinée, et avec plusieurs dizaines d'années de retard, Balthazar Warion était revenu donner de ses nouvelles…

Verviers

Au fond de son cachot, Guillaume attend la mort

Le médecin Philippe-Charles Schmerling, né à Delft en 1791, opta pour la nationalité belge en 1830 après s'être installé à Liège. Cet homme marié et père de famille sortait de chez un patient à Flémalle lorsqu'il aperçut des enfants jouer avec des ossements. Intrigué, Schmerling apprit rapidement que ceux-ci provenaient de travaux effectués au pied de rochers. La curiosité du bon docteur fut piquée au vif. Dès lors, il consacra des heures innombrables à étudier des grottes de la région, et notamment à Engis. Il découvrit des restes humains au milieu de morceaux de squelettes de mammouths, de rhinocéros et d'ours, de pointes de flèches ou de silex. Plus tard, les travaux du docteur Schmerling seront jugés essentiels dans la connaissance de la préhistoire.

Au passage, le même chercheur s'intéressa aux Nutons ou Sottais, et aux cachettes qu'il avait remarquées au fil de ses observations sur le terrain. En 1833, il écrivait ceci :

« Ces ouvertures sont connues des habitants de l'endroit sous le nom de trous de Sottais. Ils prétendent que jadis ces grottes servaient d'habitation à une espèce humaine d'une très petite taille, Sottais, nains, pygmées, qui y vivaient de leur industrie, et restauraient tout ce qu'on déposait près des ouvertures, à condition que l'on y ajoutât des vivres. En très peu de temps, ces effets étaient réparés, et remis à la même place. La fable ajoute que, un jour, on déposa un pain dont on avait ôté la mie ; il ne restait que la croûte. Les

Sottais, indignés de cette conduite, quittèrent leur demeure et se retirèrent dans un autre pays. »

À Verviers et dans les environs, les Sottais animèrent longtemps les veillées, notamment à travers une histoire extraordinaire du XIe siècle, celle de Guillaume, un fermier de la région.

Installé dans la campagne de Bronde, au-dessus du Surdent, le jeune homme, modeste, honnête et travailleur, n'a qu'un but dans la vie : faire fructifier la terre de ses ancêtres. Comme d'autres, il a entendu parler des Nutons de la Chantoire, petits êtres gentils et serviables que l'on ne voit pourtant jamais. Ainsi Guillaume leur confie-t-il régulièrement des petits travaux. Le soir, il dépose à l'entrée de leur logis des vêtements à rapiécer, des chaussures à restaurer ou des outils à réparer.

À chaque fois, dès l'aube, Guillaume retrouve ses effets en parfait état et il ne lésine pas pour remercier ses amis invisibles. Il leur offre les plus beaux fruits et les plus belles gerbes de son jardin. Et, à Noël, rituellement, il fait cadeau aux Nutons de six grands pains cuits au four.

Les relations entre Guillaume et ses petits voisins sont de plus en plus amicales. Au point qu'un matin, le fermier constate qu'un champ a été entièrement labouré. Un autre jour, il réalise que les mauvaises herbes dont il a le plus grand mal à se débarrasser ont partout disparu…

Grâce au soutien des Nutons, les affaires de Guillaume prospèrent.

À côté de chez ce garçon méritant vit un certain Herman, propriétaire d'un malheureux lopin de terre, qui lorgne jalousement sur les biens des autres. Et principalement sur ceux de Guillaume.

Par un bel après-midi, celui-ci sort du château de Limbourg et prend le chemin du retour. Devant lui, et bientôt à sa hauteur, il reconnaît Herman peinant à avancer à cause d'un gros tas de bois qu'il porte sur le dos. Toujours prêt à rendre service, Guillaume propose son aide.

– Je vais te soulager ! lance-t-il d'emblée.

Voilà donc le gentil fermier chargé comme un baudet alors que le duo atteint un carrefour d'où surgissent deux gardes forestiers se précipitant sur Guillaume.

– Le bois que tu transportes a été coupé sur les terres de M. le Comte de Limbourg ! C'est formellement interdit. Nous t'arrêtons !

Le brave garçon tente de prouver sa bonne foi, en vain. D'autant qu'Herman ment et l'enfonce.

– Je l'ai vu de mes propres yeux saccager plusieurs arbres de M. le Comte !

Guillaume finit par comprendre qu'il vient de tomber dans un guet-apens monté par l'odieux Herman. Jeté dans un cachot, il ne dispose d'aucun moyen de se défendre. À l'époque, la justice n'accorde pas l'ombre d'une chance aux plus faibles aux prises avec les plus forts.

Pendant plusieurs mois, Guillaume se lamente sur son sort puis finit par se résigner. Il sait que seule la mort pourra le délivrer de cet incessant cauchemar.

Une nuit pourtant, un événement incroyable se produit. Un énorme bloc de pierre se déplace dans le mur de la cellule de Guillaume. La lueur d'une torche résineuse illumine la brèche. Une forme humaine, relativement petite, apparaît, en partie dissimulée sous un manteau. Guillaume, déjà très affaibli, tremble un peu.

– Suis-moi ! entend-il.

Le fermier obéit à cette voix masculine et suit son mystérieux visiteur. Il parcourt une galerie débouchant sur un escalier. Quelques marches et… enfin le grand air qui a tant manqué à Guillaume ! Celui-ci écarte des arbustes et reconnaît la vallée de la Vesdre.

Pas le temps pourtant de se livrer à la contemplation du paysage ! Du haut des remparts du château, des gardes ont distingué le fuyard et donnent l'alerte.

Les Nutons – car ce sont eux, bien sûr – poussent leur ami dans une barque. Mais, très vite, leurs poursuivants font de même et les rattrapent. Presque. En quelques secondes, les petits êtres agiles et courageux bifurquent et entendent dans le lointain :

– Mais où sont-ils passés ?

Réponse : dans une anfractuosité du roc, ils quittent la barque et s'éloignent par un souterrain secret. Lorsque Guillaume en sort, il se rend compte qu'il est seul et va rapidement comprendre ce que sont devenus ses sauveurs. Car une forte explosion retentit, anéantissant les hommes du comte de Limbourg qui traquaient l'évadé du château. La Vesdre emportera les corps des victimes ; il n'y aura aucun survivant.

Les Nutons ou Sottais ne s'étaient guère inquiétés quand ils avaient constaté que Guillaume ne faisait plus appel à leurs services. Mais lorsque, à Noël, ils n'avaient pas eu droit à leurs six pains cuits, ils avaient compris que quelque chose de grave s'était produit dans la vie du fermier si serviable. Ils s'étaient informés et avaient établi un plan d'action. Question de montrer qu'il n'y avait pas plus redoutable qu'un gentil Nuton pas content…

Verviers

La statue a bougé sans se briser

Au début du XVIIe siècle, des capucins de Liège et des récollets de Bolland (Herve) séjournent à Verviers afin d'y aider le clergé de l'unique paroisse, celle de Saint-Remacle. Par la suite, les récollets s'installent durablement dans la ville et ont droit à leur église en bord de Vesdre. Dédiée au Saint-Sacrement, elle est consacrée en 1652. Onze ans plus tard, le père gardien, Clément de Bargiband, fait creuser une niche dans la façade de l'édifice afin d'abriter notamment une statue en pierre de sable représentant la Vierge Marie et l'Enfant Jésus.

Puis arrive cette terrible journée du 18 septembre 1692. Un tremblement de terre secoue Verviers et la région à deux reprises dans l'après-midi. Paniqués, de nombreux habitants se précipitent dans l'église des Récollets et prient avec ferveur, quand certains remarquent que, sans se briser, la statue a bougé à un point tel que l'Enfant s'est à demi tourné vers sa mère, qu'il regarde. Alors qu'avant le séisme, Jésus se trouvait de face.

En quelques minutes, les Verviétois crient au miracle et la nouvelle circule très vite. Plus de quatre mille personnes affluent vers l'église et veulent voir…

Alors, miracle ou hallucination ? Au fil du temps, on peut penser qu'un phénomène mineur a été amplifié, d'autant que le folklore, les pèlerinages et les processions ont commémoré cet événement. Il reste qu'après les faits, cent quatre individus se sont présentés aux autorités communales et ont raconté la même chose.

Les dépositions ont été écrites (et sont conservées aux Archives de la ville). Trois ans après ces rédactions, leurs auteurs ont été convoqués et tous, sans exception, ont confirmé les faits.

Pour l'occasion, la cour de justice a siégé à l'intérieur même du couvent des pères récollets et a validé l'ensemble des procès-verbaux. Les témoignages, par exemple, de deux dames, Anne Lambert Polis et Catherine Jean, venues de Spa.

« Les susdites ont déclaré avoir vu, avant le tremblement de terre, la statue du petit Jésus qui embrassait la glorieuse Vierge, sa mère, avec la main droite et regardait droit sur la grande porte qui conduit au cloître des P.P. Récollets, et après le tremblement du 18 septembre 1692, il a le visage tourné du côté de sa Mère, et la main, qui était levée en haut, est présentement attachée à la main de sa Mère ; et même, quelque temps après ce tremblement, cette même main se trouva placée en dessous de la main de sa Mère, en tenant le sceptre à deux, quoiqu'auparavant, la Mère le tenait seule avec majesté. Et de plus, qu'après quelque temps, comme on le voit encore maintenant, les jointures des doigts de la Mère se sont entrouvertes de manière qu'on aperçoit la main du petit Jésus. Elles ont affirmé sous serment cette déclaration comme la précédente, et elles ont offert de la réitérer toutes les fois qu'elles en seront requises. »

Il ne s'agit donc pas de racontars mais de pièces figurant dans un dossier ordonné par un tribunal.

En 1700, une chapelle particulièrement réservée au culte de la Vierge a été ajoutée à l'église des Récollets. Et près de deux siècles plus tard – l'Église se montre toujours très lente et prudente dès lors qu'il lui faut reconnaître d'une manière ou d'une autre des phénomènes extraordinaires –, en 1892, le pape Léon XIII a fait couronner la désormais célèbre Vierge.

Au fil des vicissitudes du temps (fermeture, vente, bombardement, incendie de l'église), la statue fut – miraculeusement – sauvegardée.

On l'a quelquefois reprise au nombre des Vierges noires dont les mystères ont fait l'objet d'une littérature abondante. Par erreur. La noirceur de cette œuvre-là vient essentiellement de coups de pinceau donnés au XIXe siècle par un brave curé voulant masquer d'inévitables dégradations…

Vierset

La nuit de Noël, il gèle à pierre fendre...

En 1786, à Vierset, dans le Condroz, tout le monde connaît « Chez Jean-Jacques », un cabaret tenu par Jean-Jacques Leblanc. Cette notoriété, l'établissement la doit principalement à une réputation sulfureuse jamais démentie par un propriétaire aimant la provocation autant que le libertinage qu'il revendique.

Autant dire que, à Vierset et dans les alentours, aux yeux des bien-pensants, la maison Leblanc passe pour un antre du diable. Pourtant, Jean-Jacques ne croit pas plus à Satan qu'à Dieu. Il ne connaît qu'une religion : celle de l'amusement. Pour un rien, il organise une fête. Donc, Noël lui offre une occasion importante de donner libre cours à son goût prononcé pour les festivités où l'on mange et boit souvent plus que de raison.

Le curé est, évidemment, au courant que Leblanc et ses amis fricotent dans le cabaret. À l'approche de Noël, il a fait venir au presbytère de Vierset le père Anselme, un célèbre prédicateur hutois. Durant les derniers jours de l'Avent, l'hôte de la paroisse se rend de maison en maison, écoutant les uns, réconfortant les autres et recommandant à chacun de se bien préparer à Noël en priant et en rendant grâce à Dieu.

Durant l'une de ses promenades du 23 décembre, le père Anselme rend visite à Jean-Jacques Leblanc, tout en sachant pertinemment où il met les pieds. Ce jour-là, en fin de matinée, il fait particulièrement froid. En s'installant dans la salle principale, le religieux commande un rhum et, question sans doute d'engager la conversation, en offre un au maître des lieux.

Et, effectivement, la discussion naît naturellement. Les deux hommes savent qu'ils ne partagent pas les mêmes idées philosophiques. Les points de vue qu'ils échangent sont radicalement opposés. Le père Anselme explique qu'il invite tous les hommes de bonne volonté à se mettre dans l'ambiance spirituelle de Noël. Et Leblanc enchaîne en précisant que son ambiance de Noël à lui passe par la ripaille. Sur un ton n'ayant rien d'agressif, il réplique à l'ecclésiastique que, selon lui, les balivernes qu'il raconte n'intéressent plus grand monde dans cette seconde moitié du XVIIIe siècle...

Impassible, le père Anselme convie Jean-Jacques à la messe de minuit, lui vantant la jolie crèche dressée dans la belle église illuminée de Vierset.

– Chez moi aussi, lance Leblanc, il y aura des bougies ! Une centaine éclaireront mon cabaret et un grand feu protégera mes amis du gel qui nous assaille.

Et il ajoute en ricanant :

– Si le diable existe, il viendra me prendre ici même !

Le père Anselme, lui, ne sourit même pas.

– Ne plaisantez pas avec ces choses-là ! Le diable serait bien capable de suivre votre idée...

Leblanc rigole franchement.

– Pas de danger, l'abbé ! Le diable n'existe pas ! Pas plus que votre Bon Dieu, d'ailleurs...

L'autre lève les yeux au ciel.

– Je prierai pour vous.

– Je n'en ai pas besoin.

Anselme se lève.

– Il n'est jamais trop tard pour se convertir. Pensez-y !

Leblanc hausse les épaules et pense vite à autre chose : la nuit de Noël façon Jean-Jacques !

Ce 24 décembre 1786, vers vingt et une heures, il gèle à pierre fendre ; le thermomètre descend jusqu'à – 16. Une quinzaine de personnes, hommes et femmes, arrivent chez Jean-Jacques. Afin que le petit groupe ne soit pas dérangé, le patron barricade les issues et ferme la porte d'entrée avec la clef qu'il glisse dans l'une de ses poches.

Lui et ses copains boivent et mangent copieusement. Et entonnent des chansons paillardes que les catholiques se rendant à la messe de minuit perçoivent avec effroi. Passant devant l'enseigne maléfique, ceux-ci se signent et pressent le pas…

Dans l'atmosphère surchauffée (au propre comme au figuré) du cabaret, l'alcool coule à flots. Les femmes, de plus en plus légèrement vêtues, s'épuisent de plaisir sous les caresses des messieurs. Au fil des heures, le feu a faibli, ce que personne n'a remarqué. Quand les noceurs ne supportent plus le froid, ils jettent des bouts de bois dans l'âtre mais sans résultat. Alors, parce qu'il veut de la chaleur dans la seconde, Leblanc, saoul comme les autres, verse de l'essence sur le bois puis y met le feu !

L'explosion est immédiate. Des flammes gigantesques s'emparent de l'imprudent. Atterrés, les autres veulent fuir mais réalisent vite qu'il n'y a pas moyen. En gesticulant et en se roulant par terre, Leblanc, transformé en véritable brasier, a propagé le feu aux quatre coins de la maison.

Un seul des fêtards a la présence d'esprit de gagner le premier étage et de se jeter par la fenêtre avant que la totalité de la construction ne soit détruite par l'incendie. C'est par cet unique survivant que sera transmis le compte rendu d'une nuit de Noël particulièrement tragique.

Inutile d'ajouter que, dans les alentours, cet accident donna lieu à de multiples interprétations où il était question de châtiment, divin ou satanique, et de préfiguration de l'enfer…

Vilvorde

Jan Baptist Van Helmont a emporté dans la tombe le secret de la fabrication de l'or

Jan Baptist Van Helmont est plongé dans les travaux de son laboratoire quand on lui annonce qu'un homme demande à le voir. Il s'agit d'un inconnu qui désirerait avoir avec lui une discussion à propos d'un sujet qui, prétend-il, les intéresse l'un et l'autre.

Van Helmont accepte de le recevoir. Il est habitué à être l'objet de ce genre de sollicitation.

Nous sommes entre 1614 et 1616, à Vilvorde, où Van Helmont a vu le jour en 1577 au sein d'une famille noble. À trois ans, il perd son père. Mais sa mère, Marie de Stassart, prend un soin particulier de son éducation, d'autant qu'elle a repéré chez son fils une intelligence particulièrement fine et une aptitude peu commune à assimiler mille choses. Elle le confie de bonne heure à l'Université de Louvain. Jan Baptist a dix-sept ans lorsqu'il décroche un diplôme en philosophie. Il fréquente les jésuites et se lance dans la théologie. Le jeune surdoué aurait bien rejoint l'ordre de saint François d'Assise si sa santé le lui avait permis. Il craint que la très sévère rigueur physique exigée ne convienne pas à sa faible constitution. Curieux de tout, cet esprit brillant étudie successivement les lois, les mœurs, les sciences naturelles et les mathématiques. Avant d'opter plus durablement pour la médecine. Passionné, Van Helmont lit et résume plus de six cents ouvrages d'auteurs de diverses nationalités et, au passage, apprend par cœur tous les aphorismes d'Hippocrate !

Plus tard, il affirmera :

« Pendant trente années consécutives, j'ai travaillé nuit et jour aux dépens de ma fortune et de ma santé à l'effet de connaître la nature et les propriétés du règne végétal et du règne minéral, et d'acquérir ainsi la vraie science et cela néanmoins sans cesser un seul instant de prier, de lire, de comparer, d'examiner mes erreurs, et d'annoter mes expériences journalières. »

Docteur en médecine en 1599, Jan Baptist Van Helmont séjourne dans les Alpes, en Suisse et en Savoie. Il se rend compte que la pratique de la discipline à laquelle il a consacré tant d'énergie présente bien des failles et qu'y vouer sa vie n'en vaut peut-être pas la peine.

En 1604, lorsqu'il revient en Belgique, il se tourne vers des recherches et opérations chimiques. Sans oublier tout ce qu'il a appris durant ses années d'étudiant et qu'il entend faire sans cesse fructifier.

Van Helmont se livre à diverses observations et analyses. Par exemple, il plante une branche de saule dans un pot rempli de terre sèche et pèse le tout. Cinq ans plus tard, un arbre de plus septante-cinq kilos a poussé. En revanche, le poids de la terre n'a diminué que de soixante grammes. Van Helmont en conclut que c'est essentiellement l'eau avec laquelle il a arrosé sa plantation qui a été transformée en matière végétale.

Le même Van Helmont découvre le gaz carbonique, les acides sulfhydrique et chlorhydrique. C'est d'ailleurs lui qui crée le mot « gaz ». Il écrit :

« Cet esprit qui ne peut être contenu dans des vaisseaux ni être réduit en un corps visible, je l'appelle d'un nouveau nom : gaz. »

Il trouve dans l'estomac un suc acide (suc gastrique) dont il reconnaît le rôle dans la digestion.

En 1609, Jan Baptist Van Helmont a épousé Margaret van Ranst, une demoiselle noble et riche, en compagnie de laquelle il va habiter Vilvorde.

Savant réputé, chercheur infatigable, Jan Baptist Van Helmont invente le thermomètre médical. Il aime apprendre au contact des autres et voyage en Angleterre, en Bavière et en France, où il œuvre au côté d'Ambroise Paré et de Bernard Palissy. À Vilvorde, il se sert de sa science pour aider les plus démunis. Il avouera avoir guéri des milliers de personnes chaque année, à Vilvorde et ailleurs en Belgique, tout en n'aimant guère s'éloigner de chez lui et de son cabinet de travail. Les invitations, même si elles émanent de personnages puissants, le laissent généralement indifférent.

Mais revenons à la visite intrigante qu'il reçoit à son domicile alors que, comme à son habitude, il se trouve absorbé par son travail.

La personne qui se présente lui révèle rapidement qu'elle vient lui parler d'alchimie. Van Helmont a une sorte de mouvement de recul et fait comprendre qu'il n'éprouve aucune espèce d'attirance pour ce domaine-là.

L'autre ne désarme pas.

– - Je comprends que vous ne désiriez point en discuter, mais oseriez-vous prétendre que vous ne voudriez point voir ?

Van Helmont demande ce qu'il pourrait voir. Son interlocuteur, dont le nom demeurera mystérieux, explique :

– Ce n'est point une fable lorsque je vous affirme que la Pierre philosophale existe et qu'elle est dotée d'un pouvoir transmutatoire. J'admets que vous ne le croyiez pas, mais refuserez-vous si je vous donne un morceau de cette pierre et que je vous laisse opérer par vous-même ?

Van Helmont demeure méfiant et pose ses conditions : il se montre partant mais agira seul et sans témoin. Et alors qu'il s'attend à un refus, le visiteur accepte d'emblée et dépose sur la table un peu de sa poudre, puis précise la façon de s'en servir pour la transmutation. L'homme dit encore à Van Helmont qu'il a toute confiance en lui et qu'il ne nourrit aucun doute sur sa réussite. Puis il le salue chaleureusement et s'en va. Les deux individus ne se reverront jamais.

Jan Baptist Van Helmont a raconté lui-même son expérience. En voici le texte adapté par Jacques Sadoul pour les besoins de son ouvrage, *Le grand art de l'alchimie*:

« J'ai effectivement vu la Pierre philosophale à différentes reprises, et je l'ai maniée de mes mains. Elle était à l'état de poudre, virant sur le jaune, pesante et brillante comme du verre pulvérisé. Il m'en fut donné une fois la quantité d'un quart de grain, j'appelle grain la six centième part d'une once. Donc, ce quart de grain, enveloppé dans du papier, je l'ai projeté sur huit onces de vif-argent et chauffé dans un creuset. Aussitôt, tout le mercure se figea avec quelque bruit et, une fois coagulé, apparut contracté sous l'aspect d'une boulette jaune. Après l'avoir fait refondre en activant le feu avec des soufflets, je trouvai huit onces moins onze grains d'or très pur. Par conséquent, un seul grain de cette poudre a transmuté en or excellent 19 x 186 fois son poids de vif-argent.

Par la suite, je pense que figure parmi les corps terrestres la poudre précitée, ou toute autre similaire, qui transmue presque à l'infini le métal impur en or excellent. En s'unissant à lui, elle le protège de la rouille, de la corruption et de la mort, le rendant comme immortel à l'égard de la torture du feu et de l'art, lui conférant la pureté virginale de l'or. Pour cela, l'ardeur du feu est seule requise.

Je dirai, par comparaison, que l'âme et le corps sont régénérés de la sorte par le baptême et la communion au sein de Notre-Seigneur, pour autant qu'une ferveur convenable de la dévotion des fidèles en accompagne la participation. Que le théologien me pardonne dans cette digression si j'ai parlé de la vie éternelle au-dessus de ma compétence. Je reconnais bien volontiers qu'il ne m'appartient pas de régénérer mon corps, je ne traite que de la prolongation de la vie en ce monde, lui conférant la pureté virginale de l'or. Pour cela, il n'est requis seulement que la chaleur modérée d'un feu de charbon. »

Le succès de Van Helmont converti à l'alchimie fait un certain bruit, à telle enseigne que le prince-évêque de Liège, Ernest de Bavière, mais aussi l'empereur Rodolphe II veulent faire travailler Jan Baptist à leur compte. Le sage refuse et, aux honneurs officiels, préfère les bonheurs simples qu'il connaît dans son laboratoire.

La jalousie de médiocres lui vaudra des soucis avec l'Inquisition. Le 30 décembre 1644, victime d'une pleurésie et lucide jusqu'à ses ultimes instants, Van Helmont rend le dernier soupir. Sans avoir pourtant livré à quiconque le secret de la fabrication de l'or…

Visé

L'oie gourmande, devenue gourmandise

C'était en 390 avant Jésus-Christ. Les Gaulois et leur chef Brennus avançaient vers Rome, dans laquelle ils pénétrèrent sans difficultés. Une poignée de Romains trouvèrent refuge dans le Capitole et résistèrent sept mois aux Gaulois. Ceux-ci, convaincus que le moment se trouvait bien choisi, placèrent une nuit une attaque surprise. Les oies, et elles seules, remarquèrent que quelque chose d'anormal se tramait et se mirent à crier. Ainsi réveillés, les assiégés purent repousser les assiégeants. Provisoirement en tout cas. Les oies du Capitole entrèrent ainsi dans l'Histoire.

Bien plus tard, d'autres bestioles de la même famille défrayèrent la chronique à Visé. Régulièrement victimes de bandes de brigands et de pillards, les habitants de la ville organisèrent leur protection.

En 1310, Thibaut de Bar, prince-évêque de la principauté de Liège, fonda, en marge de la construction de murailles, une Compagnie d'Arbalétriers.

Dès qu'un danger se précisait, les gens des alentours se précipitaient avec leurs troupeaux et bestiaux afin de se mettre à l'abri derrière les remparts de Visé.

Lors de l'attaque d'une bande armée, un traître remplaça les verrous des portes de la cité par des carottes. Dans les heures qui suivirent, de nombreuses oies se précipitèrent sur cette pitance inespérée... Résultat : Visé se retrouva facilement prenable et fut envahie. Les oies confirmèrent ainsi leur réputation de stupidité.

Cette histoire eut la vie dure. Pourtant, en novembre 1974, la revue *Province de Liège Tourisme* publiait un article à ce sujet et en donnait une version plus historique. On lisait ceci :

« À peine les fortifications achevées, le 31 décembre 1336, les troupes du duc de Gueldre escaladèrent les murs à minuit, pillèrent la ville et y mirent le feu. Les habitants, furieux de n'avoir pas été éveillés par les nombreux troupeaux se trouvant derrière les murailles, égorgèrent les volatiles qui avaient échappé aux pillards. »

De toutes les manières, la réputation de l'oie n'en sort pas grandie…

Une autre légende met en scène le prince-évêque de Liège, Jean d'Arckel, réfugié à Maastricht, qui avait des visées sur… Visé ! Mais une jeune femme, gardienne d'oies, prévint les troupes locales et les incita à affronter l'ennemi. Elle y réussit tellement bien que, le 9 mai 1376, les Visétois sortirent vainqueurs du combat.

Ce serait en souvenir de cette héroïne locale que l'on instaura la tradition culinaire de l'« Oie à l'instar de Visé ». Selon www.province-de-liège.info, la recette accommodant notre oiseau palmipède façon Visé serait née au XVIe siècle. Il semble donc que l'oie soit prédestinée au fond de la casserole…

Visé

Marie-Madeleine, la pécheresse que personne ne sauva

Le 19 décembre 1771, en début de soirée, un épais brouillard enveloppe le faubourg de Souvré (Visé). Du bord de la Meuse, on entend soudain d'horribles cris. Une voix féminine appelle au secours, implore le Seigneur et hurle de plus belle. Quelques minutes plus tard, un silence macabre pèse sur les ruelles de Souvré.

Le lendemain matin, le corps d'une jeune femme gît à un mètre du fleuve. Visiblement, il a été jeté dans l'eau puis retiré ou rejeté par les flots. La victime, rapidement identifiée, se nomme Marie-Madeleine Warrimont, une jolie personne âgée de vingt-trois ans, connue dans la région. Les jaloux insinuent qu'elle ne manquait pas de courtisans et ajoutent qu'elle pouvait succomber facilement aux propositions des messieurs.

Les commères mènent l'enquête à leur manière.

– La fille Warrimont était enceinte, on le sait ! On aura voulu se débarrasser d'elle pour que l'enfant du scandale ne puisse pas naître…

Ou bien :

– Elle se sera disputée avec son amant, peut-être à propos de sa prochaine maternité. Ils en seront venus aux mains et la malheureuse y aura laissé la vie… Elle se prénommait Marie-Madeleine, comme la pécheresse des Évangiles. Mais, elle, personne ne lui a pardonné et personne ne l'a sauvée…

À Visé et dans les alentours, l'affaire s'emballe. La vindicte populaire cite déjà des noms et désigne des coupables. Pourtant, ce fait divers va durablement défrayer la chronique. L'enquête et le procès concernant Marie-Madeleine Warrimont vont en effet durer huit années.

Reportons-nous au premier procès-verbal. Il dit ceci :

« Le 20 décembre 1771, Nous la Haute Cour et Justice de Visé, présents André, Fouargue Sartorius et Lejeune avons, à la requête du Sieur Bouhoulle, notre Mayeur, comparu, et nous transportés au passage d'eau de Souvré, Faubourg de cette ville, à l'effet de faire la visite du cadavre d'une femme ou fille qui paraît avoir été assassinée, qu'on a retiré de la Meuse, et par assomption du Sr Hoffman, Médecin et Chirurgien sermenté de cette Cour, nous avons visité le dit cadavre, lequel nous a rapporté comme s'ensuit.

Le soussigné Médecin et Chirurgien sermenté de la Haute Cour de Visé, certifie et atteste d'avoir le 20 décembre 1771, à la réquisition du Sr Bouhoulle, Mayeur de cette ville, visité le corps de la dite Marie-Madeleine Warrimont, de l'avoir trouvée enceinte de huit à neuf mois, et lui avoir trouvé la trachée-artère, l'œsophage, et toutes les artères et veines montant à la tête transversalement coupés, comme aussi plusieurs autres plaies, tant au visage que sur les mains, faites par un instrument tranchant, lesquelles plaies sont absolument mortelles, en foi et quoi j'ai signé la présente, date que dessus, J. T. Hoffman, médecin et chirurgien sermenté, et si fut par nous enseigné de la pouvoir ensevelir, et fut mis en garde.

Signé : G.H. Collardin, substitué Greffier pro André per registrum. »

Si la justice manifeste certaines lenteurs, les rumeurs, elles vont bon train. Au centre desquelles revient un seul homme : Henri-Eustache Sartorius.

Dans la région, tout le monde connaît les Sartorius, une famille nombreuse, originaire d'Allemagne, composée de gens souvent influents. Henri-Eustache est le fils d'un ancien bourgmestre et encore échevin.

Le jeune homme a souvent été vu avec la défunte et on les savait très proches. Le témoignage d'une femme l'accable. Anne Lambert, ainsi se nomme-t-elle, se trouvait par hasard non loin du lieu du crime le 19 décembre 1771 et elle a clairement entendu Marie-Madeleine supplier : « Bien-aimé Sartorius, laisse-moi la vie ! »

Une autre femme jure avoir aperçu Henri-Eustache le soir même : « Il avait du sang sur les mains ! »

Dès lors, l'enquête – qui dépend de la justice de Liège et non de celle de Visé afin d'éviter toute intervention de Sartorius père – s'emballe et ses résultats deviennent accablants pour Sartorius fils, dont les derniers mois et semaines sont disséqués. Henri-Eustache était effectivement l'amant de Marie-Madeleine Warrimont. Un jour, celle-ci lui avait annoncé qu'elle était enceinte et Sartorius aurait considéré la nouvelle comme très contrariante.

Résidant souvent à Liège, il aurait espacé de plus en plus ses séjours à Visé, là où la belle se serait morfondue sur son avenir pour le moins compromis.

Ne pouvant tolérer de voir cette fille à ce point souffrir, la mère Sartorius en personne a pris la route de Liège, est allée frapper chez Henri-Eustache et lui a dit ses quatre vérités. Selon la dame, il lui faut assumer ses responsabilités et ne salir ni l'honneur de sa famille, ni celui de Marie-Madeleine.

Henri-Eustache n'aurait pas été long à réfléchir. Ne voulant pas voir sa liberté entravée, il aurait donné rendez-vous à la ravissante créature le 19 décembre à Visé, l'aurait entraînée sur les bords de la Meuse, l'aurait tuée à l'aide d'un couteau (depuis, introuvable), l'aurait traînée jusqu'à l'eau et l'y aurait précipitée. Mais le courant étant très calme, le corps n'a pas été emporté.

Henri-Eustache n'aurait pas agi seul et aurait eu pour complices à la fois l'un de ses frères, Ferdinand-Jean, chanoine de son état, son cousin Hennet et un ami, Ghiet.

La machine judiciaire mise en route, elle n'hésite pas à broyer deux hommes : Hennet et Ghiet. Ceux-ci n'avouant pas leur implication dans le meurtre, ils sont soumis à la torture. À un point tel qu'ils ne tardent pas à décéder des suites de leurs blessures…

Sartorius réalise à quel point l'étau se resserre. Il se cache au couvent des Récollets de Liège, une communauté à laquelle appartient l'un de ses oncles. L'un de ses frères, Jean-Jacques-Louis, avocat, l'y rejoint. Ensemble, le 27 mars 1772, ils rédigent un courrier à l'attention des échevins de Liège.

« Me trouvant accablé des calomnies les plus atroces, répandues dans le public par la méchanceté de quelques personnes jalouses de ma tranquillité et de ma bonne conduite, qui osent me regarder comme l'auteur d'un crime énorme commis à Visé, dont l'idée seule ferait trembler l'humanité, je crois qu'il est de mon devoir de recourir avec confiance à vos Seigneuries comme à des Juges dont l'intégrité est si connue pour leur présenter une quantité de déclarations, en vue d'ôter tout ce que cette noire calomnie pourrait occasionner au détriment de mon honneur et de ma réputation, qui me sont plus chers que tous les biens de la terre.

Persuadé que vos Seigneuries, par une suite de leur équité, daigneront apprécier le contenu de ces déclarations et ne les perdront pas de vue dans les occurrences qui peuvent se présenter à ce sujet ; c'est dans cette confiance nette et tranquille que j'attendrai de votre tribunal cet acte de Justice. »

À la missive, Sartorius joint une série de témoignages prouvant – évidemment – son innocence. Les personnes y ayant contribué affirment avec force avoir passé la soirée du crime avec Henri-Eustache, d'autres avoir vu le même jour le désormais suspect en compagnie de gens qui pourront le confirmer.

Troublant? Si oui, pas longtemps. Car l'enquête prouve en quelques mois que certains des individus ayant signé devant notaire se sont retrouvés face à des textes soigneusement préparés par Me Sartorius! L'information, qui circule rapidement, suscite la colère dans la population de Visé et de Liège.

Et c'est à peu près à ce moment qu'Henri-Eustache choisit de sortir de son refuge (sans doute toujours le couvent des Récollets) et de se livrer prisonnier. On notera, ce qui ne fut pas fait à l'époque, que s'il l'avait voulu, Sartorius aurait pu depuis longtemps organiser sa fuite et se construire une nouvelle vie loin, très loin même de Liège et de Visé.

– Je veux pouvoir me défendre à visage découvert! clame-t-il.

Mais ses ennemis – et ils sont de plus en plus nombreux – affirment qu'il s'agit encore d'un stratagème mis au point par son frère avocat.

Minutieusement analysés par la justice liégeoise, les documents fournis par les Sartorius font l'objet d'une publication

«Le 23 janvier 1777, vu les actes par nous les Échevins de la Justice Souveraine de la Cité et pays de Liège disons les décharges d'Henri-Eustache Sartorius insuffisantes, le condamnons à trois quarts des frais, compensant l'autre pour cause, défendons au Geôlier de lui donner aucun accès quelconque à peine d'être dépourvu à ses charges, ordonnons d'un même contexte à l'Officier de s'acquitter des devoirs de sa charge contre Louis Rasquin, Ailid Ghiot, Marguerite Hévers, retenant de dire d'autres (NDLA : il s'agit de témoins).»

Jusqu'à ce jour, Henri-Eustache Sartorius se trouve certes sous les verrous mais avec un régime de faveur. Il reçoit qui bon lui semble, commande des mets fins et des boissons de qualité, et organise même des jeux avec quelques-uns de ses visiteurs !

La sentence rendue ce 23 janvier 1777 change considérablement la donne. En quelques heures, Henri-Eustache Sartorius se retrouve aux fers et au secret. Désormais, il passera ses journées seul entre quatre murs.

Au printemps de la même année, l'affaire connaît un rebondissement avec une déclaration écrite devant notaire et témoins, et envoyée à la justice par Ferdinand-Jean Sartorius, le frère chanoine chantre et diacre à la collégiale de Visé, mais également libertin bien connu. Celui-ci s'accuse du meurtre de Marie-Madeleine Warrimont ! Il décrit dans le détail, avec dates et lieux, de multiples rendez-vous partagés avec la jeune femme. Il jure être le père de l'enfant que la défunte portait. Et l'unique instigateur de l'horrible crime commis afin de rayer de la carte une personne dont l'existence constituait une menace pour son honorabilité. Tétanisé par son terrible geste, il a été jusqu'à laisser son propre frère se dénoncer. Mais rongé par le remords, il n'en peut plus et déballe tout…

La justice se doit d'examiner ces nouvelles pièces. Pourtant, dans l'opinion, rien ne change, à l'exception de la hargne envers les Sartorius, qui augmente. Car on se rend compte que, depuis sa déposition spontanée, le chanoine a disparu ! On ne le reverra jamais. D'aucuns affirmeront qu'il s'est réfugié à Rome, d'autres qu'il a quitté l'Europe.

Considéré comme un nouveau subterfuge de la famille Sartorius (on ajoute que le chanoine, plutôt chétif, n'aurait pu tuer seul une femme plus grande et plus forte que lui), cet énième épisode en précède un autre : une supplique de Henri-Eustache au tribunal. En voici les principaux passages :

« (…) Je me suis mal connu, ou plutôt j'ai mal connu les hommes ; j'avais compté sur la foi de mon intégrité, que je n'avais qu'à paraître aux yeux de la Justice pour faire éclater mon innocence, et dissiper ce tourbillon de fame, des ouï-dire et d'anecdotes contradictoires et calomnieuses dont j'étais assailli.

(…) Enfin, le vrai criminel se reconnaît-il coupable et en fait-il un aveu authentique, partout ailleurs sa confession contre lui opérerait, sans le moindre trouble, la conviction de l'innocence des autres inculpés ; ici, la prévention publique traduit un aveu de cette espèce par une tentative imaginée à dessein d'en imposer à tout le monde, de surprendre la religion des Juges, de faire une diversion à l'état de ma cause, en un mot, de m'arracher par surprise des bras de la justice.

(…) La rage de me nuire est si violente et si universelle que tout bien que je fais ou qu'on fait pour moi est toujours pris pour un mal, et s'il était possible que le mal fût interprété en bien, il n'est pas à douter que le public ne saisirait encore cette interprétation maligne, s'il pouvait prévoir que le bien même pourrait tourner en mon désavantage ; enfin, le mal croît de jour en jour, mais plus le public est acharné à me poursuivre, plus j'ose espérer que vos Seigneuries, en se préservant de la contagion universelle, seront animées à me défendre et à rendre à la vertu malheureuse, l'éclat que le fanatisme et la prévention lui ont ôté. »

La prose de Sartorius et de son frère avocat ne fait plus illusion. Le 27 février 1779, les échevins « de la Justice souveraine de la cité et pays de Liège » condamnent « H-E Sartorius prisonnier, d'être traîné sur une claie à Visé, et être tenaillé avec des pincettes ardentes, à trois différentes fois, savoir la première en sortant de la prison, aux bras droit et gauche, la deuxième à Vivegnis, aux jambes droite et gauche, et la troisième fois aux seins droit et gauche au lieu du supplice ; puis avoir les cuisses et jambes rompus avec une barre de fer, puis son corps être exposé sur une roue, et si un quart d'heure après il se trouve encore en vie, d'être étranglé tant que mort s'ensuive, pour l'exemple d'autres. »

Le recours en grâce introduit par Sartorius auprès de Velbruck, le prince-évêque, par ailleurs philosophe et franc-maçon, est rejeté. Celui-ci a déjà gracié des malfaiteurs et, dans le cas présent, hésite car, dans son entourage, des voix s'élèvent pour appeler son attention sur l'acharnement aveugle dont Sartorius semble être l'objet. Les juges eux-mêmes n'ont jamais donné l'impression d'être certains de détenir la vérité. Sinon, la procédure ne se serait pas étalée sur huit ans.

Le prince-évêque ne sauve pas Henri-Eustache parce qu'il a été impressionné par un crime aussi odieux qui, à ses yeux, mérite châtiments et peine capitale...

Le 3 mars 1779, entre quarante et cinquante mille personnes se sont réunies pour suivre, à un moment ou à un autre de la journée, la fin de l'amant de Marie-Madeleine Warrimont. Tous s'en réjouissent et beaucoup applaudissent. Mais, à peine rendu le dernier soupir d'Henri-Eustache, il se passe quelque chose d'inexplicable. Un sentiment fort et totalement contraire à celui qui a prévalu pendant huit années s'empare de la foule. En une poignée de minutes, ces milliers de gens sont intimement convaincus qu'ils ont été manipulés par la justice et qu'ils viennent d'assister à l'exécution d'un innocent ! De nombreux individus manifestent en ce sens. En vain, évidemment.

Bien plus tard, en 1941, Willy Vandevoir, avocat à la cour d'appel de Liège, reprit les pièces du dossier Sartorius auquel il consacra un ouvrage fouillé[1]. Il y écrit notamment dans sa conclusion à propos de Ferdinand-Jean :

1 Willy Vandevoir, *L'Affaire Sartorius, un procès criminel au XVIIIe siècle*, Jean Vromans, Imprimeur, Bruxelles, 1941.

« Il existe contre lui un réseau tellement serré de présomptions, qu'il nous est difficile de l'acquitter. Les vieux Visétois ont aussi cru le chanoine coupable et, vraiment, il n'est pas probable que le chantre Sartorius ait poussé son abnégation monstrueuse jusqu'à s'accuser lui-même de pareilles abominations, dans l'unique intention de sauver son jeune frère, s'il n'avait pas eu quelque chose sur la conscience.

Cependant, quand les contemporains disent coupables, ils estiment que les deux jeunes gens ont effectivement coopéré à trucider la victime. Je ne me convaincs pas encore de cela. J'entends simplement affirmer que le chanoine a, de manière ou d'autre, prochaine ou éloignée, coopéré à l'assassinat. »

Plus loin, Willy Vandevoir pose cette question :

« Comment se peut-il qu'Henri-Eustache Sartorius ait tué sa maîtresse enceinte, alors qu'il l'aimait et sans doute en était aimé ? Rien apparemment ne s'opposait au mariage qui eût régularisé la situation. Les deux jeunes gens appartenaient à des familles honorables et aisées. (…) »

L'avocat met en avant la lâcheté de Sartorius, à qui le mariage et la paternité auraient fait peur. Mais ajoute :

« S'il n'est pas invraisemblable qu'Henri-Eustache ait tué celle qu'il avait aimée, uniquement pour se débarrasser d'elle et de son enfant, il est presque impossible de croire qu'il ait choisi pour complice son frère, et celui de ses frères qui semblait le moins désigné pour une œuvre de mort : son frère le chanoine ! »

La thèse de Me Vandevoir repose en fait sur la jalousie d'Henri-Eustache Sartorius. Un jour, par les domestiques travaillant chez ses parents, l'amoureux de Marie-Madeleine a appris que Ferdinand-Jean a eu aventure avec la belle Warrimont et qu'en réalité, l'enfant qu'elle attend serait du chanoine. Il se souvient alors de promenades avec sa dulcinée auxquelles son frère s'invitait.

Quand il revient de Liège à Visé, il aperçoit de loin les amants soupçonnés. Alors, fou de rage, il fixe rendez-vous à la demoiselle, en décidant d'en finir... Et les supplications que l'on entendra sortant de la bouche de la victime auraient été pour demander pardon à Henri-Eustache des fautes commises avec Ferdinand-Jean...

Vandevoir explique que lorsque le chanoine s'accuse du crime, c'est parce qu'il n'en peut plus de garder pour lui cet épouvantable secret.

« Il étouffe ses remords, mais ses remords croissent sûrement (...). Et quand les illusions ne lui sont plus permises, quand il voit la mort toute proche qui va saisir à la gorge son frère, moins coupable que lui, une sorte de folie lucide s'empare de son esprit, y produisant une étrange transposition. Son crime vrai, sa trahison d'amour, son renoncement à la chasteté, la faiblesse de sa chair deviennent un crime sanglant et grossier. Sa conscience qu'il a trompée le trompe à son tour. Ce n'est pas seulement la vie et l'âme et la paix du cœur qu'il a prises à sa maîtresse. C'est lui qui, du corps jeune et souple de Marie-Madeleine, a fait ce cadavre impur et exsangue étendu sur l'herbe roussie de Souvré. »

Une énigme dans l'histoire judiciaire belge.

Xhignesse

L'abbé Deleau n'aurait pas dû jouer avec le mot « renard »

Un dimanche, dans le courant de son habituel sermon, le curé de Xhignesse (Hamoir) explique que, dans l'église comme au presbytère, il a constaté le vol d'objets précieux. Et il ajoute :

– Certes, mes frères, ce n'est point l'œuvre d'un chien ou d'un loup, mais bien d'un fin renard.

Dans l'assemblée un homme prend très mal cette allusion : il s'appelle... Renard !

Ainsi commence la légende du curé de Xhignesse, dont le point de départ se situe quelque part au XVIIIe siècle.

Le Renard en question, brasseur à Filot, a un frère, autre propriétaire terrien à la sale réputation. Les deux malabars ne sont guère aimés dans la région. On les craint sans les respecter. Et personne ne leur cherche querelle, sachant qu'ils règlent souvent leurs problèmes à coups de poing.

Depuis que l'abbé a prononcé ces mots, il sait que les frères Renard lui en veulent. Ceux-ci ne songent même pas à cacher l'hostilité qu'ils nourrissent à son égard. Mais le prêtre ne s'inquiète pas plus que cela. Possède-t-il des preuves de ce qu'il a laissé entendre dans son homélie ? On l'ignore mais on s'en doute. D'autant que la réputation des Renard, guère flatteuse, les désigne sinon comme coupables, au moins comme suspects.

Un soir, la servante du curé attend le retour de son patron. L'ecclésiastique s'est rendu à My pour un enterrement. Il était prévu qu'il déjeune chez son homologue avant de reprendre la route de Xhignesse. Mais, à minuit, ne voyant pas son maître arriver, la brave dame va se coucher.

Le lendemain matin, le locataire du presbytère n'a toujours pas donné signe de vie. On envoie un messager à My. En chemin, derrière un bosquet, celui-ci trouve le corps du disparu.

Une rapide enquête détermine que le malheureux a été rudement frappé avant de rendre l'âme.

L'affaire fait scandale. La population est outrée car parfaitement au courant que les frères Renard ont les mains tachées de sang. Les témoignages se recoupent tous. On ne compte plus les gens qui, à la brasserie Renard et ailleurs, ont pu entendre les deux lascars proférer des menaces à l'encontre de l'abbé. Leur défense étant nulle – car il s'agit de grandes gueules mais de vrais abrutis –, les Renard sont arrêtés et jetés en prison à Liège. Il en faut pourtant un peu plus pour les condamner et leur trancher la tête, ce que l'opinion publique rêve de voir…

Les mois s'égrènent. Aucune preuve solide et indiscutable ne vient clore ce dossier. Alors, la rumeur commence à circuler :

– On ne peut pas garder éternellement les deux gaillards derrière les barreaux. Ils vont être relâchés…

Au même moment, le garde-champêtre s'en va frapper à la porte d'un ouvrier agricole qui ne sait ni lire ni écrire. Il lui apporte un long document relevant de la déclaration des contributions. Et, en voyant ce long texte, qu'il ne peut donc comprendre, le journalier prend peur et s'exclame :

– Et dire que je n'en avais parlé à personne ! Même ma femme et mes enfants n'ont pas partagé ce terrible secret. Mais, bon Dieu, pourquoi ai-je été témoin de cet horrible spectacle ?

Il a à peine achevé la dernière phrase que le garde-champêtre – allez savoir pourquoi ! – pense à cette douloureuse affaire du curé de Xhignesse dont on reparle beaucoup à cause de l'imminence du retour au pays des Renard. Et il a d'emblée l'intime conviction que son interlocuteur a pris le papier qu'il lui amène pour un compte rendu de ce qu'il sait du meurtre du curé !

Il faut ajouter que le garde-champêtre connaît bien l'ouvrier agricole et qu'il le manipule à merveille.

– Maintenant, il faut tout raconter, l'ami. Nous allons nous rendre chez le mayeur.

L'autre n'oppose aucune résistance. Sur le chemin qu'il emprunte, il répète :

– Tu sais, je ne suis pas mêlé à cette histoire…

– Il n'y a aucun doute là-dessus. Tu n'as d'ailleurs rien à craindre…

L'ouvrier ne se montre toutefois pas réellement rassuré. Et il en avoue la raison au mayeur.

– Si je me trouvais ce soir-là où le crime a été commis, c'est que je braconnais…

Le mayeur promet que ce délit ne sera pas consigné s'il y a coopération complète avec la justice. Alors le journalier déballe tout. Par hasard, donc, son petit chien l'a mené où se trouvait coincé un lièvre ou un lapin. Et, à proximité, il a entendu les frères Renard – qu'il a reconnus – échanger des propos inquiétants.

– Tu es sûr qu'il va passer par ici ?

– Évidemment, il emprunte toujours ce chemin.

– Et si quelqu'un nous surprend, que ferons-nous ?

– Nous lui réglerons son compte, comme à l'autre.

Un peu plus tard, le curé arriva. Il fut assailli et roué de coups. La lâcheté des bandits ne lui laissa aucune chance de s'en sortir. Le journalier perçut ses derniers mots :

– Si vous désirez m'achever, arrachez-moi mon bréviaire…

Le lendemain du drame, on retrouva effectivement le livre de prières à un mètre du cadavre.

Après l'enregistrement de la déposition de l'ouvrier agricole, les frères Renard, qui auraient dû être libérés dans les heures qui suivent, sont emmenés sur les lieux du crime et confrontés au témoin. N'ayant jamais soupçonné que quiconque ait pu les écouter et les regarder, les deux crapules perdent vite pied. Et, au tribunal, supplient les juges de leur accorder leur pitié !

En vain, bien sûr. Les Renard sont pendus devant une foule soulagée.

Ce récit légendaire s'inspire d'assez près de la réalité. En 1778, le curé de Xhignesse, Everard Deleau, s'est bien mis à dos la famille Renard en jouant avec son nom un dimanche au milieu de la messe et ce, à la suite d'un vol commis au presbytère.

Les frères Renard étaient non pas deux, mais trois. L'aîné, Gilles, habitait dans une ferme appartenant aux moines de Malmedy. Le deuxième, Michel, était fermier à Filot. Et le cadet, Jean-Joseph, tenait, lui, la brasserie de Filot. En compagnie de leurs complices, Joseph Lerusse et Joseph Remy, ils mettent au point leur mauvais coup. Plus tard, un témoin, Antoine Xhaar, assurera avoir très clairement perçu ces mots sortant de la bouche d'un des Renard :

– Il faut donner une bonne « rouffe » au curé et lui casser la gueule.

Les Renard veulent se venger ; les deux autres, voler de l'argent au prêtre. Le 16 novembre 1778, Everard Deleau, revenant d'un enterrement ayant eu lieu à Bomal, tombe dans un guet-apens et perd la vie non loin d'un pré situé entre Sy et Hamoir-Lassus où il sera découvert le lendemain.

L'enquête commence par patauger. Il faut l'intervention d'Antoine Xhaar pour que les frères Renard soient réellement inquiétés. À ce moment, Joseph Lerusse et Joseph Remy prennent discrètement la fuite. Terrés à l'étranger, ils ne seront jamais arrêtés.

En revanche, les trois Renard, auteurs de nombreux méfaits dans la région, sont serrés de près par la justice et, sous la torture, ils avouent. Ils racontent même que leur sombre dessein consistait à traîner le corps d'Everard Deleau jusqu'à l'Ourthe, où le courant aurait dû l'emporter. Mais ils n'y sont pas parvenus.

Le 7 août 1780, le trio termina ses jours sur la montagne de Floriheid, à côté de Malmedy. Suppliciés à diverses reprises, les membres rompus, puis étranglés, Gilles, Michel et Jean-Joseph Renard disposèrent ainsi d'un certain temps pour penser à l'enfer dont ils avaient quelquefois entendu parler par le révérend Everard Deleau. Ou bien pour regretter d'avoir été moins rusés que l'animal dont ils portaient le nom…

Ypres

Entre le bœuf et le cheval noir

Dans une ferme à côté d'Ypres vivait Joachim, un fermier qui travaillait durement. Lorsque sa femme lui donna un fils, baptisé Jan, il fonda sur lui de grands espoirs. Dans son esprit, il ne faisait aucun doute que, plus tard, Jan reprendrait la ferme et qu'un jour, lui, Joachim, il pourrait enfin se reposer.

Au fil des années pourtant, le fermier se posa de plus en plus de questions sur les aptitudes du fiston. Lorsque le paternel – un homme pas facile à vivre et très exigeant – voulut initier Jan aux tâches rudimentaires, il ne put que constater les bévues de son fils qui, notamment, égara des vaches dans la nature, brisa des tonneaux en les manipulant maladroitement et cassa de nombreux autres objets.

La maman prenait évidemment la défense de son enfant, qu'elle trouvait parfois empoté mais pas du tout idiot. Le jugement de son époux n'allait pas dans le même sens. Voulant donner à Jan une autre chance de montrer de quoi il était capable, Joachim le confia à un ami boulanger. L'expérience s'acheva rapidement par un désastre : le gamin fut responsable d'une fournée de pains calcinés… Dans la foulée, chez le maréchal-ferrant cette fois, Jan oublia de maintenir les flammes de la forge.

Excédé, Joachim prit la décision irrévocable de mettre Jan à la porte du domicile familial.

En larmes, sa femme ne fut d'aucune influence. Son gamin, tout juste âgé de quinze ans, devait désormais se débrouiller, trouver un boulot et un logis.

La mère ne put enfouir dans le baluchon de Jan qu'une queue de taupe en guise de porte-bonheur. Et, en le serrant dans ses bras, bouleversée, elle lui murmura :

– Promets-moi de revenir bientôt...

Du fond de son cœur, elle voulait croire que ce très regrettable malentendu se dissiperait un jour.

À Ypres, Jan se faufila parmi les mendiants postés non loin de la cathédrale Saint-Martin (l'ancienne, qui fut bombardée durant la Première Guerre mondiale) et tenta d'attraper quelques pièces jetées par les bourgeois. Mais, malhabile, l'adolescent se retrouvait toujours grugé. Celui que son père avait surnommé Jan le Benêt se fit remarquer d'un cavalier par son air désappointé. Celui-ci lui posa quelques questions et comprit qu'il n'était pas stupide du tout, juste gaffeur et malchanceux.

– Viens, lança-t-il, je t'emmène en mon château, dans les monts des Flandres.

Jan eut à s'occuper des nombreux chiens du propriétaire. Les bêtes n'étaient pas toutes commodes mais, après avoir été mordu plusieurs fois, Jan décréta que, désormais, il se ferait obéir. Une expérience formatrice. Car, ensuite, le châtelain, satisfait des services d'un Jan effectivement pas idiot, en fit son serviteur préféré.

Sur cet homme, Jan ne connaissait pas grand-chose. Il le voyait disparaître pendant de longs mois. Et lorsqu'il revenait, c'était chargé d'or et de biens précieux empilés dans un souterrain.

– L'entrée de cet endroit est interdite, avait-il prévenu Jan.

Un soir pourtant, alors que le maître était absent depuis plusieurs semaines, Jan désobéit et poussa la grille du lieu mystérieux.

Sous une lumière dont il ne détermina pas la source, Jan s'approcha de grimoires ouverts sur des lutrins et, bizarrement, lui qui ne savait ni lire ni écrire comprit et retint tout ce qu'il découvrit. Il s'agissait de formules magiques permettant les transformations les plus variées.

Convaincu de détenir des secrets qui allaient bouleverser son destin, Jan résolut de déserter le château et de rejoindre ses parents.

Lorsque Jan annonça à sa mère qu'il était en possession de recettes magiques, la pauvre femme se signa et crut le fiston possédé par le démon. Afin d'en avoir le cœur net, elle lui jeta sur le corps une bonne dose d'eau bénite avant d'effectuer un test selon elle infaillible.

– Tu tiens la branche de basilic que je te tends. Si elle se flétrit, c'est que Satan peut se vanter d'être propriétaire de ton âme…

Le résultat rassura la maman qui, dès lors, écouta attentivement le projet élaboré par Jan.

– Je vais me transformer en un superbe bœuf. Père ira me vendre au marché, obtiendra une coquette somme, à la suite de quoi il me passera autour du cou un collier que je lui aurai confié et je reprendrai mon apparence.

Le paternel, qui manquait d'argent, trouva l'idée bonne. Mais, se faisant vieux et aimant plus que jamais boire de bons coups, une fois l'affaire conclue avec un client, il s'en alla s'enivrer dans une auberge voisine et oublia le collier…

Deux heures environ se passèrent quand Jan, toujours dans la peau du bœuf, aperçut son ancien maître et se mit à parler.

Le châtelain le sermonna d'abord sur l'abandon de son poste de gardien puis eut pitié et, forcément, habile adepte de la magie, permit à Jan de renouer avec la vie des humains. Il précisa néanmoins :

– C'est la dernière fois que je te viens en aide.

Par la suite, toujours dans le but de subvenir aux besoins de ses parents, Jan se faufila dans la peau d'un étincelant étalon noir. Hélas pour lui, l'histoire se répéta. Le père, de plus en plus gâteux, empocha les sous et laissa Jan à son état chevalin. Désespéré, celui-ci se mit à courir et à hennir dans les rues d'Ypres. Sur son chemin, il croisa à nouveau celui qui, à deux reprises, l'avait sauvé.

Sourd aux supplications de Jan, le châtelain hurla :

– Tu te croyais invincible, je vais te montrer à quel point tu te trompais. Tu resteras cheval jusqu'à la fin de tes jours ! Je m'en vais te faire ferrer.

Pourtant, il ne trouva personne – nous étions un dimanche – pour réaliser le travail. Jan parvint à prendre la fuite. Le châtelain se fit taon, dans le but de rendre fou le bel animal. Mais ce dernier se métamorphosa en hirondelle et voulut avaler le taon, qui devint serpent, juste avant que Jan, subitement renard, ne terrasse son adversaire bloqué sur une maladroite transformation en coq !

Les plumes en pagaille, le maître convint de sa défaite :

– Tu as gagné ! Épargne-moi...

Jan fut bon joueur. Se souvenant de ce qu'il devait à l'homme maintenant à sa merci, il lui ordonna ceci :

– Je vais te rendre la liberté. À une condition : partout où tu iras, tu vanteras mes mérites ! Tu diras que mon père s'est lourdement trompé sur mon compte, que je n'ai jamais été benêt et que je suis le plus grand magicien du pays...

Le bec un rien de travers, l'autre jura et ne demanda pas son reste. Jan se balada, heureux de pouvoir enfin profiter d'une existence paisible. Il se sentait parfaitement bien quand, rentrant à la ferme familiale, il entendit son père s'exclamer :

– Tiens, voilà le benêt !...

BIBLIOGRAPHIE

Ouvrages

Bonjean Albert, *La Baraque Michel et le Livre de Fer*, Nautet-Hans, Verviers, 1895.

Bovy Jean Pierre Paul, *Promenades historiques dans le pays de Liège*, tome 2, Liège, Imprimerie de P.J. Collardin Libraire Imprimeur de l'Université, 1839.

Bronne Carlo, *Histoires de Belgique*, Plon, 1967.

Collectif, *Les Belges illustres*, tome 1, Librairie Nationale : A. Jamar et Ch.Hen, 1845.

Delmelle Joseph, *Hôtels de ville et maisons communales de Belgique*, Rossel Éditions, 1975.

Demarteau J., *La Justice de M. Juste et le procès qu'on n'a pas fait au chanoine Sartorius*, Demarteau Éditeur, Liège, 1883.

Duvivier de Fortemps Jean-Luc, *À la recherche du corps perdu de saint Hubert*, Éditions Weyrich, 2009.

Gérard Jo, *Le Siècle des géants*, Éditions Meddens, 1964.

Gielen Viktor, *La Croix des Fiancés – Quand Fagne et Forêt se souviennent...*, Éditions Markus, Eupen, 1976.

Glotz Samuël, « Les fêtes de Binche en 1549 », in *La Vie Wallonne*, tome XXII, Liège, 1948.

Grégoire Paul-Christian, *Orval, le Val d'Or depuis la nuit des temps*, Éditions Serpenoise, 2011.

Greyson Émile, *Le Passeur de Targnon*, Les Publications Ardennaises, Aywaille, 1938.

Haghe F.G., *Les Papes et la Belgique*, Bibliothèque Gilon, Verviers, 1883.

Laport George, *Légendes des bords de l'Ourthe et de l'Amblève*, Aywaille-Sports-Villégiature, 1927.

Marquet Léon et Roeck Alfons, *Légendes de Belgique*, De Vlijt n.v., 1980.

Mercier Jacques, *Vingt siècles d'Histoire du Vatican*, Éditions Lavauzelle, 1979.

Michel Édouard, *Abbayes et monastères de Belgique*, G. Van Oest & Cie, Éditeurs, 1923.

Sadoul Jacques, *Le grand art de l'alchimie*, Albin Michel, 1972.

Vandevoir Willy, *L'Affaire Sartorius, un procès criminel au XVIIIe siècle*, Jean Vromans, Imprimeur, Bruxelles, 1941.

Journaux et revues

La Gazette de Liège
La Vie Wallonne
Le Guetteur wallon
Le Patriote Illustré
Province de Liège Tourisme

REMERCIEMENTS

Merci à Michèle pour ses conseils, sa patience et son indulgence.

Merci à l'équipe des éditions Racine, Michelle, Sandrine, Anne et Pascale, dont j'apprécie l'enthousiasme et le professionnalisme.

Et merci aux conteurs d'autrefois de nous avoir transmis les histoires ayant servi de base à cet ouvrage.

TABLE DES MATIÈRES